AtV

Theodor Fontane wurde am 30. Dezember 1819 im märkischen Neuruppin geboren. Nach Lehre und Staatsexamen Approbation als »Apotheker erster Klasse«. 1849 gab Fontane den Beruf auf und etablierte sich als Journalist und freier Schriftsteller. 1850 Heirat mit Emilie Rouanet-Kummer. Mitglied des literarischen Vereins »Tunnel über der Spree«. 1855–1858 London-Aufenthalt, u. a. als »Presseagent« des preußischen Gesandten. Zwischen 1862 und 1882 erschienen die »Wanderungen durch die Mark Brandenburg«. Neben seiner umfangreichen Tätigkeit als Lyriker, Kriegsberichterstatter und Reiseschriftsteller war Fontane zwei Jahrzehnte Theaterkritiker der »Vossischen Zeitung«. In seinem 60. Lebensjahr trat er als Romancier an die Öffentlichkeit. Dem ersten Roman »Vor dem Sturm« (1878) folgten in kurzen Abständen seine berühmt gewordenen Romane und Erzählungen sowie die beiden Erinnerungsbücher »Meine Kinderjahre« und »Von Zwanzig bis Dreißig«. Fontane starb am 20. September 1898 in Berlin.

Nach den »Berliner Frauenromanen« (Aufbau Taschenbuch Verlag 1995) erschließen die fünf Bände »Kriminal- und andere Fälle« einen weiteren charakteristischen Bereich Fontanescher Erzählkunst.

Im wechselnden Rhythmus der Jahreszeiten erfüllt sich das Leben der Stadt und ihrer Menschen: das Maienfest wird gefeiert, die Puppenspieler ziehen ein, der Kurfürst lädt auf seine Burg Tangermünde, Weihnachten und Ostern führen die Familien festlich zusammen. Grete Minde aber ist ausgestoßen. Seit dem Tode ihres Vaters, des angesehenen Ratsherrn, ist sie dem habsüchtigen Bruder und dessen hartherziger Frau schutzlos ausgesetzt. Ihr unstetes Wesen zwischen tiefer Sehnsucht nach Liebe und auflodernden Haß kann auch durch den Frieden der Natur nicht besänftigt werden. Zurückgewiesen in ihren Gefühlen und um das gebracht, was ihr zusteht, schlägt ihre Sanftheit in die Besinnungslosigkeit der Zerstörung und des Untergangs um. An dem Werk, das 1880 erschien, hat Fontane besonders intensiv gefeilt. Entstanden ist eine spannende und ergreifende Geschichte, die zu den besten deutschen Novellen gehört.

# THEODOR FONTANE

# GRETE MINDE

Nach einer altmärkischen
Chronik

Aufbau Taschenbuch Verlag

Grundlage für Text und Anhang:
Theodor Fontane, Romane und Erzählungen in acht Bänden.
4. Auflage, Aufbau-Verlag, Berlin 1993, Band 3,
Bearbeiterin: Anita Golz

ISBN 3-7466-5271-5

2. Auflage 1997
Aufbau Taschenbuch Verlag GmbH, Berlin

Umschlaggestaltung Torsten Lemme
unter Verwendung eines Fotos
von Oscar Gustave Rejlander, Album print, 1866
Satz LVD GmbH, Berlin
Druck und Binden Clausen & Bosse, Leck
Printed in Germany

## Erstes Kapitel

### *Das Hänflingnest*

»Weißt du, Grete, wir haben ein Nest in unserm Garten, und ganz niedrig, und zwei Junge drin.«

»Das wäre! Wo denn? Ist es ein Fink oder eine Nachtigall?«

»Ich sag es nicht. Du mußt es raten.«

Diese Worte waren an einem überwachsenen Zaun, der zwei Nachbargärten voneinander trennte, gesprochen worden. Die Sprechenden, ein Mädchen und ein Knabe, ließen sich nur halb erkennen, denn so hoch sie standen, so waren die Himbeerbüsche hüben und drüben doch noch höher und wuchsen ihnen bis über die Brust.

»Bitte, Valtin«, fuhr das Mädchen fort, »sag es mir.«

»Rate.«

»Ich kann nicht. Und ich *will* auch nicht.«

»Du *könntest* schon, wenn du wolltest. Sieh nur«, und dabei wies er mit dem Zeigefinger auf einen kleinen Vogel, der eben über ihre Köpfe hinflog und sich auf eine hohe Hanfstaude niedersetzte.

»Sieh«, wiederholte Valtin.

»Ein Hänfling?«

»Geraten.«

Der Vogel wiegte sich eine Weile, zwitscherte und flog dann wieder in den Garten zurück, in dem er sein Nest hatte. Die beiden Kinder folgten ihm neugierig mit ihren Augen.

»Denke dir«, sagte Grete, »ich habe noch kein Vogelnest gesehen; bloß die zwei Schwalbennester auf unsrem Flur. Und ein Schwalbennest ist eigentlich gar kein Nest.«

»Höre, Grete, ich glaube, da hast du recht.«

»Ein richtiges Nest, ich meine von einem Vogel, nicht

ein Krähen- oder Storchennest, das muß so weich sein wie der Flachs von Reginens Wocken.«

»Und so ist es auch. Komm nur. Ich zeig es dir.« Und dabei sprang er vom Zaun in den Garten seines elterlichen Hauses zurück.

»Ich darf nicht«, sagte Grete.

»Du darfst nicht?«

»Nein, ich soll nicht. Trud ist dawider.«

»Ach Trud, Trud. Trud ist deine Schwieger, und eine Schwieger ist nicht mehr als eine Schwester. Wenn ich eine Schwester hätte, die könnte den ganzen Tag verbieten, ich tät es doch. Schwester ist Schwester. Spring. Ich fange dich.«

»Hole die Leiter.«

»Nein, spring.«

Und sie sprang, und er fing sie geschickt in seinen Armen auf.

Jetzt erst sah man ihre Gestalt. Es war ein halbwachsenes Mädchen, sehr zart gebaut, und ihre feinen Linien, noch mehr das Oval und die Farbe ihres Gesichts, deuteten auf eine Fremde.

»Wie du springen kannst«, sagte Valtin, der seinerseits einen echt märkischen Breitkopf und vorspringende Backenknochen hatte. »Du fliegst ja nur so. Und nun komm, nun will ich dir das Nest zeigen.«

Er nahm sie bei der Hand, und zwischen Gartenbeeten hin, auf denen Dill und Pastinak in hohen Dolden standen, führte er sie bis in den Mittelgang, der weiter abwärts vor einer Geißblattlaube endigte.

»Ist es hier?«

»Nein, in dem Holunder.«

Und er bog ein paar Zweige zurück und wies ihr das Nest.

Grete sah neugierig hinein und wollte sich damit zu schaffen machen, aber jetzt umkreiste sie der Vogel, und Valtin sagte: »Laß; er ängstigt sich. Es ist wegen der Jungen; unsere Mütter sind nicht so bang um uns.«

»Ich habe keine Mutter«, erwiderte Grete scharf.

»Ich weiß«, sagte Valtin, »aber ich vergeß es immer wieder. Sieht sie doch aus, als ob sie deine Mutter wäre, versteht sich, deine Stiefmutter. Höre, Grete, sieh dich vor. Hübsch ist sie, aber hübsch und bös. Und du kennst doch das Märchen vom Machandelboom?«

»Gewiß kenn ich das. Das ist ja mein Lieblingsmärchen. Und Regine muß es mir immer wieder erzählen. Aber nun will ich zurück in unsern Garten.«

»Nein, du mußt noch bleiben. Ich freue mich immer, wenn ich dich habe. Du bist so hübsch. Und ich bin dir so gut.«

»Ach, Narretei. Was soll ich noch bei dir?«

»Ich will dich noch ansehen. Mir ist immer so wohl und so weh, wenn ich dich ansehe. Und weißt du, Grete, wenn du groß bist, da mußt du meine Braut werden.«

»Deine Braut?«

»Ja, meine Braut. Und dann heirat ich dich.«

»Und was machst du dann mit mir?«

»Dann stell ich dich immer auf diesen Himbeerzaun und sage ›spring‹; und dann springst du, und ich fange dich auf, und …«

»Und?«

»Und dann küß ich dich.«

Sie sah ihn schelmisch an und sagte: »Wenn das wer hörte! Emrentz oder Trud …«

»Ach Trud und immer Trud. Ich kann sie nicht leiden. Und nun komm und setz dich.«

Er hatte diese Worte vor dem Laubeneingang gesprochen, an dessen rechter Seite eine Art Gartenbank war, ein kleiner niedriger Sitzplatz, den er sich aus vier Pflökken und einem darübergelegten Brett selbst zurechtgezimmert hatte. Er liebte den Platz, weil er sein eigen war und nach dem Nachbargarten hinübersah. »Setz dich«, wiederholte er, und sie tat's, und er rückte neben sie. So verging eine Weile. Dann zog er einen Malvenstock aus der Erde und malte Buchstaben in den Sand.

»Lies«, sagte er. »Kannst du's?«

»Nein.«

»Dann muß ich dir sagen, Grete, daß du deinen eignen Namen nicht lesen kannst. Es sind fünf Buchstaben, und es heißt Grete.«

»Ach, griechisch«, lachte diese. »Nun merk ich erst; ich soll dich bewundern. Hatt es ganz vergessen. Du gehörst ja zu den sieben, die seit Ostern zum alten Gigas gehen. Ist er denn so streng?«

»Ja und nein.«

»Er sieht einen so durch und durch. Und seine roten Augen, die keine Wimpern haben ...«

»Laß nur«, beruhigte Valtin. »Gigas ist gut. Es muß nur kein Kalvinscher sein oder kein Katholscher. Da wird er gleich bös und Feuer und Flamme.«

»Ja, sieh, das ist es ja eben ...«

Valtin malte mit dem Stocke weiter. Endlich sagte er: »Ist es denn wahr, daß deine Mutter eine Katholsche war?«

»Gewiß war sie's.«

»Und wie kam sie denn ins Land und in euer Haus?«

»Das war, als mein Vater in Brügge war, da sind viele Spansche. Kennst du Brügge?«

»Freilich kenn ich's. Das ist ja die Stadt, wo sie die beiden Grafen enthauptet haben.«

»Nein, nein. Das verwechselst du wieder. Du verwechselst auch immer. Weißt du noch ... Ananias und Äneas?! Aber das war damals, als du noch nicht bei Gigas warst ... Ach, bei Gigas! Und nun soll ich auch hin, denn ich werde ja vierzehn, und Trud ist bei ihm gewesen, wegen Unterricht und Firmung, und hat es alles besprochen ... Aber sieh, ihr habt ja noch Kirschen an eurem Baum. Und wie dunkel sie sind! Nur zwei. Die möcht ich haben.«

»Es ist zu hoch oben; da können bloß die Vögel hin. Aber laß sehen, Gret, ich will sie dir doch holen ... wenn ...«

»Wenn?«

»Wenn du mir einen Kuß geben willst. Eigentlich müßtest du's. Du bist mir noch einen schuldig.«

»Schuldig?«

»Ja. Von Silvester.«

»Ach, das ist lange her. Da war ich noch ein Kind.«

»Lang oder kurz. Schuld ist Schuld.«

»Und bedenke, daß ich morgen zu Gigas komme …«

»Das ist erst morgen.«

Und eh sie weiter antworten konnte, schwang er sich in den Baum und kletterte rasch und geschickt bis in die Spitze, die sofort heftig zu schwanken begann.

»Um Gott, du fällst«, rief sie hinauf; er aber riß den Zweig ab, an dem die zwei Kirschen hingen, und stand im Nu wieder auf dem untersten Hauptast, an dem er sich jetzt, mit beiden Knien einhakend, waagerecht entlangstreckte.

»Nun pflücke«, rief er und hielt ihr den Zweig entgegen. »Nein, nein, nicht so. Mit dem Mund …«

Und sie hob sich auf die Fußspitzen, um nach seinem Willen zu tun. Aber im selben Augenblicke ließ er die Kirschen fallen, bückte sich mit dem Kopf und gab ihr einen herzhaften Kuß.

Das war zuviel. Erschrocken schlug sie nach ihm und lief auf die Gartenleiter zu, die dicht an der Stelle stand, wo sie das Gespräch zwischen den Himbeerbüschen gehabt hatten. Erst als sie die Sprossen hinauf war, hatte sich ihr Zorn wieder gelegt, und sie wandte sich und nickte dem noch immer verdutzt Dastehenden freundlich zu. Dann bog sie die Zweige voneinander und sprang leicht und gefällig in den Garten ihres eigenen Hauses zurück.

## Zweites Kapitel

### *Trud und Emrentz*

In den Gärten war alles still, und doch waren sie belauscht worden. Eine schöne, junge Frau, Frau Trud Minde, modisch gekleidet, aber mit strengen Zügen, war, während die beiden noch plauderten, über den Hof gekommen und hatte sich hinter einem Weinspalier versteckt, das den geräumigen, mit Gebäuden umstandenen Mindeschen Hof von dem etwas niedriger gelegenen Garten trennte. Sechs Stufen führten hinunter. Nichts war ihr hier entgangen, und die widerstreitendsten Gefühle, nur keine freundlichen, hatten sich in ihrer Brust gekreuzt. Grete war noch ein Kind, so sagte sie sich, und alles, was sie von ihrem Versteck aus gesehen hatte, war nichts als ein kindisches Spiel. Es war nichts und es bedeutete nichts. Und doch, es war Liebe, *die* Liebe, nach der sie sich selber sehnte und an der ihr Leben arm war bis diesen Tag. Sie war nun eines reichen Mannes ehelich Weib; aber nie, so weit sie zurückdenken mochte, hatte sie lachend und plaudernd auf einer Gartenbank gesessen, nie war ein frisches, junges Blut um ihretwillen in einen Baumwipfel gestiegen und hatte sie dann kindlich unschuldig umarmt und geküßt. Das Blut stieg ihr zu Kopf, und Neid und Mißgunst zehrten an ihrem Herzen.

Sie wartete, bis Grete wieder diesseits war, und ging dann raschen Schrittes über den Hof auf Flur und Straße zu, um nebenan ihre Muhme Zernitz, des alten Ratsherrn Zernitz zweite Frau und Valtins Stiefmutter, aufzusuchen. In der Tür des Nachbarhauses traf sie Valtin, der beiseite trat, um ihr Platz zu machen. Denn sie war in Staat, in hoher Stehkrause und goldner Kette.

»Guten Tag, Valtin. Ist Emrentz zu Haus? Ich meine deine Mutter.«

»Ich denke, ja. Oben.«

»Dann geh hinauf und sag ihr, daß ich da bin.«

»Geh nur selbst. Sie hat es nicht gern, wenn ich in ihre Stube komme.«

Es klang etwas spöttisch. Aber Trud, erregt wie sie war, hatte dessen nicht acht und ging, an Valtin vorüber, in den ersten Stock hinauf, dessen große Hinterstube der gewöhnliche Aufenthalt der Frau Zernitz war. Das nach vorn zu gelegene Zimmer von gleicher Größe, das keine

Sonne, dafür aber viele hohe Lehnstühle und grünverhangene Familienbilder hatte, war ihr zu trist und öde. Zudem war es das Wohn- und Lieblingszimmer der ersten Frau Zernitz gewesen, einer steifen und langweiligen Frau, von der sie lachend als von ihrer »Vorgängerin im Amt« zu sprechen pflegte.

Trud, ohne zu klopfen, trat ein und war überrascht von dem freundlichen Bilde, das sich ihr darbot. Alle drei Flügel des breiten Mittelfensters standen auf, die Sonne schien, und an dem offenen Fenster vorbei schossen die Schwalben. Über die Kissen des Himmelbetts, dessen hellblaue Vorhänge zurückgeschlagen waren, waren Spitzentücher gebreitet, und vom Hof herauf hörte man das Gackern der Hühner und das helle Krähen des Hahns.

»Ei, Trud«, erhob sich Emrentz und schritt von ihrem Fensterplatz auf die Muhme zu, um diese zu begrüßen. »Zu so früher Stunde. Und schon in Staat! Laß doch sehen. Ei, das ist ja das Kleid, das du den Tag nach deiner Hochzeit trugst. Wie lange ist es? Ach, als ich dir damals gegenübersaß, und Zernitz neben mir, und die grauen Augen der guten alten Frau Zernitz immer größer und immer böser wurden, weil er mir seine Geschichten erzählte, die kein Ende hatten, und immer so herzlich lachte, daß ich zuletzt auch lachen mußte, aber über *ihn*, da dacht ich nicht, daß ich zwei Jahre später an diesem Fenster sitzen und *auch* eine Frau Zernitz sein würde.«

»Aber eine andre.«

»Gott sei Dank, eine andre … Komm, setz dich … Und ich glaube, Zernitz denkt es auch. Denn Männer in zweiter Ehe, mußt du wissen, das sind die besten. Das erst ist, daß sie die erste Frau vergessen, und das zweit ist, daß sie alles tun, was wir wollen. Und das ist die Hauptsache. Ach Trud, es ist zum Lachen; sie schämen sich ordentlich und entschuldigen sich vor uns, schon eine erste gehabt zu haben. Andre mögen anders sein; aber für meinen alten Zernitz bürg ich, und wäre nicht der Valtin …«

»Um *den* eben komm ich«, unterbrach Trud, die der

Muhme nur mit halbem Ohre gefolgt war, »um eben deinen Valtin. Höre, das hat sich ja mit der Gret, als ob es Braut und Bräutigam wäre. Er muß aus dem Haus. Und ich denke, du wirst ihn missen können.«

»Laß doch. Es sind ja Kinder.«

»Nein; es sind nicht Kinder mehr. Valtin ist sechzehn oder wird's, und Gret ist über ihre Jahre und hat's von der Mutter.«

»Nicht doch. Ich war ebenso.«

»Das ist dein Sach, Emrentz.«

»Und dich verdrießt es«, lachte diese.

»Ja, mich verdrießt es; denn es gibt einen Anstoß im Haus und in der Stadt. Und ich mag's und will's nicht. Du hast einen leichten Sinn, Emrentz, und siehst es nicht, weil du zuviel in den Spiegel siehst. Lache nur; ich weiß es wohl, er will es; alle Alten wollen's, und du sollst dich putzen und seine Puppe sein. Aber ich, ich seh um mich, und was ich eben gesehen hab … Emrentz, mir schlägt noch das Herz. Ich komme von Gigas und suche Greten und will ihr sagen, daß sie sich vorbereitet und ernst wird in ihrem Gemüt, da find ich sie … nun rate, wo? Im Garten zwischen den Himbeerbüschen. Und wen mit ihr? Deinen Valtin …«

»Und er gibt ihr einen Kuß. Ach Trud, ich hab's ja mitangesehn, alles, hier von meinem Fenster, und mußt an alte Zeiten denken, und an den Sommer, wo ich auch dreizehn war und mit Hans Hensen Versteckens spielte und eine geschlagene Glockenstunde hinter dem Rauchfang saß, Hand in Hand und immer nur in Sorge, daß wir zu früh gefunden, zu früh in unserm Glück gestört werden könnten. Laß doch, Trud, und gönn's ihnen. 's ist nichts mit alter Leute Zärtlichkeiten, und ich wollt, ich stünde wieder, wie heute die Grete stand. Es war so hübsch, und ich hatt eine Freude dran. Nun bin ich dreißig, und er ist doppelt so alt. Hätt ich noch vier Jahre gewartet, höre, Trud, ich glaube fast, ich hätte besser zu dem Jungen als zu dem Alten gepaßt. Sieh nicht so bös drein und bedenk, es trifft's nicht jeder so gut wie du. Gleich zu gleich und jung zu jung.«

»Jung zu jung!« sagte diese bitter. »Es geht ins dritte Jahr, und unser Haus ist öd und einsam.«

»Alt oder jung, wir müssen uns eben schicken, Trud«; und dabei nahm Emrentz ihrer Muhme Arm und schritt mit ihr in dem geräumigen Zimmer auf und ab. »Mein Alter ist zu jung, und dein Junger ist zu alt; und so haben wir's gleich, trotzdem uns der Schuh an ganz verschiedenen Stellen drückt. Nimm's leicht, und wenn du das Wort nicht leiden kannst, so sei wenigstens billig und gerecht. Wie liegt's denn? Höre, Trud, ich denke, wir haben nicht viel eingesetzt und dürfen nicht viel fordern. Hineingeheiratet haben wir uns. Und war's denn besser, als wir mit fünfundzwanzig, oder war's noch ein Jahr mehr, auf dem Gardelegner Marktplatz saßen und gähnten und strickten und von unsrem Fenster aus den Bauerfrauen die Eier in der Kiepe zählten? Jetzt kaufen wir sie wenigstens und leben einen guten Tag. Und das Sprichwort sagt, man kann nicht alles haben. Was fehlt, fehlt. Aber dir zehrt's am Herzen, daß dir nichts Kleines in der Wiege schreit, und du versuchst es nun mit Gigas und mit Predigt und Litanei. Aber das hilft zu nichts und hat noch keinem geholfen. Halte dich ans Leben; *ich* tu's und getröste mich mit der Zukunft. Und wenn der alte Zernitz eine zweite Frau nahm, warum sollt ich nicht einen zweiten Mann nehmen? Da hast du meine Weisheit, und warum es mir gedeiht. Lache mehr und bete weniger.«

Es schien, daß Trud antworten wollte, aber in diesem Augenblick hörte man deutlich von der Straße her das Schmettern einer Trompete und dazwischen Paukenschläge. Es kam immer näher, und Emrentz sagte: »Komm, es müssen die Puppenspieler sein. Ich sah sie schon gestern auf dem Anger, als ich mit meinem Alten aus dem Lorenzwäldchen kam.« Und danach gingen beide junge Frauen in das Frau Zernitzsche Vorderzimmer mit den hohen Lehnstühlen und den verhangenen Familienbildern und stellten sich an eins der Fenster, das sie rasch öffneten.

Und richtig, es waren die Puppenspieler, zwei Männer und eine Frau, die, bunt und phantastisch aufgeputzt, ihren Umritt hielten. Hunderte von Neugierigen drängten ihnen nach. Es war ersichtlich, daß sie nicht hier, sondern erst weiter abwärts, an einem unmittelbar am Markte gelegenen Eckhause zu halten gedachten, als aber der zur Rechten Reitende, der lange, gelb und schwarz gestreifte Trikots und ein schwarzes, enganliegendes Samt- und Atlascollet trug, der beiden jungen Frauen gewahr wurde, hielt er sein Pferd plötzlich an und gab ein Zeichen, daß der die Pauke rührende, hagre Hanswurst, dessen weißes Hemd und spitze Filzmütze bereits der Jubel aller Kinder waren, einen Augenblick schweigen solle. Zugleich nahm er sein Barett ab und grüßte mit ritterlichem Anstand zu dem Fenster des Zernitzschen Hauses hinauf. Und nun erst begann er: »Heute abend, sieben Uhr, mit hoher obrigkeitlicher Bewilligung, auf dem Rathause hiesiger kurfürstlicher Stadt Tangermünde: *Das Jüngste Gericht.*«

Dies Wort wurde, während der Schwarzundgelbgestreifte die Trompete hob, von einem ungeheuern Paukenschlage begleitet.

»Das Jüngste Gericht! Großes Spiel in drei Abteilungen, so von uns gespielet worden vor Ihren christlichen Majestäten, dem römischen Kaiser und König und dem Könige von Ungarn und Polen. Desgleichen vor allen Kurfürsten und Fürsten deutscher Nation. Worüber wir Zeugnisse haben allerdurchlauchtigster Satisfaktion. Das Jüngste Gericht! Großes Spiel in drei Abteilungen, mit Christus und Maria, samt dem Lohn aller Guten und der Verdammnis aller Bösen. Dazu beides, Engel und Teufel, und großes Feuerwerk, aber ohne Knall und Schießen und sonstige Fährlichkeit, um nicht ›denen schönen Frauen‹, so wir zu sehen hoffen, irgendwie störend oder mißfällig zu sein.«

Und nun wieder Paukenschlag und Trompetenstoß, und auf den Marktplatz zu nahm der Umritt seinen Fortgang, während der Puppenspieler im Trikot noch einmal zu dem Zernitzschen Hause hinaufgrüßte. Auch die dunkelfarbige Frau, die zwischen den beiden andern zu Pferde saß, verneigte sich. Sie schien groß und stattlich und trug ein Diadem mit langem schwarzem Schleier, in den zahllose Goldsternchen eingenäht waren.

»Gehst du heute?« fragte Emrentz.

»Nein. Nicht heut und nicht morgen. Es widersteht mir, Gott und Teufel als bloße Puppen zu sehen. Das Jüngste Gericht ist kein Spiel, und ich begreif unsre Ratmannen nicht, und am wenigsten unsern alten Peter Guntz, der doch sonst ein christlicher Mann ist. Heiden und Türken sind's. Sahst du die Frau? Und wie der lange schwarze Schleier ihr vom Kopfe hing?«

»Ich gehe doch«, lachte Emrentz.

Damit trennten sich die Frauen, und Trud, unzufrieden über das Gespräch und das Scheitern ihrer Pläne, kehrte noch übellauniger, als sie gekommen, in das Mindesche Haus zurück.

## Drittes Kapitel

### *Das »Jüngste Gericht« und was weiter geschah*

In jener Stille, wie sie dem Mindeschen Hauswesen eigen war, verging der Tag; nur der Pfauhahn kreischte von seiner Stange, und aus dem Stallgebäude her hörte man das Stampfen eines Pferdes, eines schönen flandrischen Tieres, das der alte Minde, bei Gelegenheit seiner zweiten Heirat, aus den Niederlanden mit heimgebracht hatte. Das war nun fünfzehn Jahr; es war alt geworden wie sein Herr, aber hatte bessere Tage als dieser.

Grete hatte gebeten, das Puppenspiel im Rathaus besuchen zu dürfen, und es war ihr, allem Abmahnen Truds unerachtet, von ihrem Vater, dem alten Minde, gestattet worden, nachdem dieser in Erfahrung gebracht hatte, daß auch Emrentz und Valtin und der alte Zernitz selbst dem

Spiele beiwohnen würden. Lange vor sieben Uhr hatte man Greten abgeholt, und in breiter Reihe, als ob sie zusammengehörten, schritten jetzt alle gemeinschaftlich auf das Rathaus zu. Die Freitreppe, die hinaufführte, war mit Neugierigen besetzt, auch mit solchen, die drinnen ihre Plätze hatten und nur wieder ins Freie getreten waren, um so lange wie möglich noch der frischen Luft zu genießen. Denn in dem niedrig gewölbten Saale war es stickig, und kein anderes Licht fiel ein als ein gedämpftes von Flur und Treppe her. In der zweiten Reihe waren ihnen, unter Beistand eines alten Stadt- und Ratsdieners, einige Mittelplätze freigehalten worden, auf denen sie bequemlich Platz nahmen, erst Zernitz selbst und Emrentz, dann Valtin und Grete. Das war auch die Reihenfolge, in der sie saßen. Grete war von Anfang an nur Aug und Ohr, und als Emrentz ihr aus einem Sandelkästchen allerhand Süßigkeiten bot, wie sie damals Sitte waren, überzuckerte Frucht und kleine Theriakkügelchen, dankte sie und weigerte sich, etwas zu nehmen. Valtin sah es und flüsterte ihr zu: »Fürchtest du dich?«

»Ja, Valtin. Bedenke, das Jüngste Gericht.«

»Wie kannst du nur? Es sind ja Puppen.«

»Aber sie bedeuten was, und ich weiß doch nicht, ob es recht ist.«

»Das hat dir Trud ins Gewissen geredt«, lachte Emrentz, und Grete nickte.

»Glaub ihr nicht; es ist 'ne fromme Sach. Und in Stendal haben sie's in der Kirchen gespielt.« Und dabei nahm Emrentz eine von den kandierten Früchten und drückte den Stengel in ihres Alten große Sommersprossenhand. Der aber nickte ihr zärtlich zu, denn er nahm es für Liebe.

Während dieses Gesprächs hatte sich der Saal auf allen Plätzen gefüllt. Viele standen bis nach dem Ausgang zu, vor den Zernitzens aber saß der alte Peter Guntz, der schon zum vierten Male Burgemeister war und den sie um seiner Klugheit und Treue willen immer wieder wählten, trotzdem er schon an die achtzig zählte. »Das ist ja Grete

Minde«, sagte er, als er des Kindes ansichtig wurde. »Sei brav, Gret.« Und dabei sah er sie mit seinen kleinen und tiefliegenden Augen freundlich an.

Und nun wurd es still, denn auf dem Rathausturme schlug es sieben, und die Gardine, die bis dahin den Bühnenraum verdeckt hatte, wurde langsam zurückgezogen. Alles erschien anfänglich in grauer Dämmerung, als sich aber das Auge an das Halbdunkel gewöhnt hatte, ließ sich die Herrichtung der Bühne deutlich erkennen. Sie war, der Breite nach, dreigeteilt, wobei sich der treppenförmige Mittelraum etwas größer erwies als die beiden Seitenräume, von denen der eine, mit der schmalen Tür, den Himmel und der andre, mit der breiten Tür, die Hölle darstellte. Engel und Teufel standen oder hockten umher, jeder auf der ihm zuständigen Seite, während eine hagere Puppe, mit weißem Rock und trichterförmiger Filzmütze, die dem lebendigen Hanswurst des Vormittagsrittes genau nachgebildet schien, zu Füßen der großen Mitteltreppe saß, deren Stufen zu Christus und Maria hinaufführten. Was nur der Hagere hier sollte? Grete fragte sich's und wußte keine Antwort; allen anderen aber war kein Zweifel, zu welchem Zweck er da war und daß ihm oblag, Schergendienste zu tun und die Sonderung in Gut' und Böse, nach einer ihm werdenden Ordre, oder vielleicht auch nach eigenem souveränem Ermessen, durchzuführen. Und jetzt erhob sich Christus von seinem Thronsessel und gab mit der Rechten das Zeichen, daß das Gericht zu beginnen habe. Ein Donnerschlag begleitete die Bewegung seiner Hand, und die Erde tat sich auf, aus der nun, erst langsam und ängstlich, dann aber rasch und ungeduldig, allerhand Gestalten ans Licht drängten, die sich, irgendeinem berühmten Totentanz entnommen, unschwer als Papst und Kaiser, als Mönch und Ritter und viel andere noch erkennen ließen. Ihr Hasten und Drängen entsprach aber nicht dem Willen des Weltenrichters, und auf seinen Wink eilte jetzt der sonderbare Scherge herbei, drückte die Toten wieder zurück und schloß den Grabdeckel, auf den er sich nun selber gravitätisch setzte.

Nur zwei waren außerhalb geblieben, ein wohlbeleibter Abt mit einem roten Kreuz auf der Brust und ein junges Mädchen, ein halbes Kind noch, in langem weißem Kleid und mit Blumen im Haar, von denen einzelne Blätter bei jeder Bewegung niederfielen. Grete starrte hin; ihr war, als würde sie selbst vor Gottes Thron gerufen, und ihr Herz schlug und ihre zarte Gestalt zitterte. Was wurd aus dem Kind? Aber ihre bange Frage mußte sich noch gedulden, denn der Abt hatte den Vortritt, und Christus, in einem Ton, in dem unverkennbar etwas von Scherz und Laune mitklang, sagte:

»Mönchlein, schau hin, du hast keine Wahl,
Die schmale Pforte, *dir* ist sie zu schmal.«

Und im selben Augenblick ergriff ihn der Scherge und stieß ihn durch das breite Tor nach links hin, wo kleine Flammen von Zeit zu Zeit aus dem Boden aufschlugen.

Und nun stand das Kind vor Christi Thron. Maria aber wandte sich bittend an ihren Sohn und Heiland und sprach an seiner Statt:

»Dein Tag war kurz, dein Herze war rein,
Dafür ist der Himmel dein.
Geh ein!
Unter Engeln sollst du ein Engel sein.«

Und Engel umfingen sie, und es war ein Klingen wie von Harfen und leisem Gesang. Und Grete drückte Valtins Hand. Unter allen Anwesenden aber herrschte die gleiche Befriedigung, und der alte Zernitz flüsterte: »Hör, Emrentz, *der* versteht's. Ich glaube jetzt, daß er vor Kaiser und Reich gespielt hat.«

Und das Spiel nahm seinen Fortgang.

Inzwischen, es hatte zu dunkeln begonnen, waren die Mindes in dem rechts neben der Flurtür gelegenen Unterzimmer versammelt und nahmen an einem Tische, der nur zur Hälfte gedeckt war, ihre Abendmahlzeit ein. Der alte Jacob Minde hatte den Platz an der einen Schmalseite des Tisches, während Trud und Gerdt, seine Schwieger und sein Sohn, an den Längsseiten einander gegenübersaßen, Trud steif und aufrecht, Gerdt bequem und nachlässig in Kleidung und Haltung. In allem der Gegenpart seines Weibes; auch seines Vaters, der trotz eines Zehrfiebers, an dem er litt, aus einem starken Gefühle dessen, was sich für ihn zieme, die Schwäche seines Körpers und seiner Jahre bezwang.

Es schien, daß Trud ihre schon vormittags gegen Emrentz gemachten Bemerkungen über das Puppenspiel eben wiederholt hatte, denn Jacob Minde, während er einzelne von den großen Himbeeren nahm, die, wie er es liebte, mit den Stielchen abgepflückt worden waren, sagte: »Du bist zu streng, Trud, und du bist es, weil du nur unser tangermündisch Tun und Lassen kennst. Und in Alt-Gardelegen ist es nicht anders. Aber draußen in der Welt, in den großen Ländern und Städten, da wagt sich die Kunst an alles Höchste und Heiligste, und sie haben fromme und berühmte Meister, die nie andres gedacht und gedichtet und gemalt und gemeißelt haben als die Glorie des Himmels und die Schrecknisse der Hölle.«

»Ich weiß davon, Vater«, sagte Trud ablehnend. »Ich habe solche Bilder in unsrer Gardelegner Kirche gesehn, aber ein Bild ist etwas andres als eine Puppe.«

»Bild oder Puppe«, lächelte der Alte. »Sie wollen dasselbe, und das macht sie gleich.«

»Und doch, Vater, mein ich, ist ein Unterschied, ob ein frommer und berühmter Meister, wie du sagst, eine Schilderei malt zur Ehre Gottes oder ob ein unchristlicher Mann, mit einem Türkenweib und einem Pickelhering, Gewinnes halber über Land zieht und mit seinem Spiel die Schenken füllt und die Kirchen leert.«

»Ah, kommt es daher?« lachte Gerdt und streckte sich noch bequemer in seinem Stuhl. »*Daher* also. Warst heut in der Pfarr, und da haben wir nun den Pfarrwind. Ja, das ist Gigas; er bangt um sich und seine Kanzel. Und nun gar das Jüngste Gericht! Das ist ja sein eigener Acker, den er am besten selber pflügt. So wenigstens glaubt er. Weiß es Gott, ich hab ihn nie sprechen hören, auch nicht bei Hochzeit und Kindelbier, ohne daß ein höllisch Feuer aus irgendeinem Ritz oder Ritzchen aufgeschlagen wär. Und nun kommt dieser Puppenspieler und tut's ihm zuvor und brennt uns ein wirklich Feuerwerk ...«

Er konnte seinen Satz nicht enden, denn in eben diesem Augenblicke hörten sie, vom Marktplatze her, einen dumpfen Knall, der so heftig war, daß alles Gerät im Zimmer in ein Klirren und Zittern kam; und eh sie noch einander fragen konnten, was es sei, wiederholten sich die Schläge, dreimal, viermal, aber schwächer. Trud erhob sich, um auf die Straße zu sehn, und ein dicker Qualm, der sich in Höhe der gegenübergelegenen Häuser hinzog, ließ keinen Zweifel, daß bei den Puppenspielern ein Unglück geschehen sein müsse. Flüchtig Vorübereilende bestätigten es, und Trud, indem sie sich ins Zimmer zurückwandte, sagte triumphierend: »Ich wußt es: Gott läßt sich nicht spotten.« Auf Gerdts blassem und gedunsenem Gesicht aber wechselten Furcht und Verlegenheit, wodurch es nicht gewann, während der alte Minde sein Käppsel abnahm und mit halblauter Stimme die Barmherzigkeit Gottes und den Beistand aller Heiligen anrief. Denn er war noch aus den katholischen Zeiten her. In einem Anfluge von Teilnahme war Trud, die sonst gern ihre herbe Seite herauskehrte, an den Alten herangetreten und hatte ihre Hand auf die Rückenlehne seines Stuhls gelegt, als sie aber den Namen Gretens zum dritten Mal aus seinem Munde hörte, wandte sie sich wieder ab und schritt unruhig und übellaunig im Zimmer auf und nieder. Man sah, daß sie fremd in diesem Hause war und keine Gemeinschaft mit den Mindes hatte.

Sie war eben wieder ans Fenster getreten und sah nach

dem Marktplatze hin, als sie plötzlich, inmitten einer Gruppe, Greten selbst erkannte, die, mit einem Stücke Zeug unter dem Kopf, auf einer Bahre herangetragen wurde. War sie tot? Es war oft ihr Wunsch gewesen; aber dieser Anblick erschütterte sie doch. »Gott, Grete!« rief sie und sank in einen Stuhl.

Die Träger hatten mittlerweile die Bahre niedergesetzt und trugen das schöne Kind, dessen Arme schlaff herabhingen, von der Straße her ins Zimmer. »Hier«, sagte Gerdt, als er die Leute verlegen und unschlüssig dastehen sah, und wies auf eine mit Kissen überdeckte Truhe. Und auf eben diese legten sie jetzt die scheinbar Leblose nieder. Mit ihnen war auch die alte Regine, die Pflegerin Gretens, jammernd und weinend eingetreten und beruhigte sich erst, als nach Besprengen mit frischem Wasser ihr Liebling die Augen wieder aufschlug.

»Wo bin ich?« fragte Grete. »Ach … nicht in der Hölle!«

»Gott, mein süß Gretel«, zitterte Regine hin und her. »Was sprichst du nur? Du bist ja ein gutes und liebes Kind. Und ein gutes und liebes Kind, das kommt in den Himmel. Aber das ist auch noch nicht, noch lange nicht. Du kommst auch noch nicht in den Himmel. Du bist noch bei uns. Gott sei Dank, Gott sei Dank. So sieh doch, sieh doch, ich bin ja deine alte Regine.«

Die Träger standen noch immer verlegen da, bis der alte Minde sie bat, ihm zu erzählen, was vorgefallen sei. Aber sie wußten nicht viel, da sie wegen des großen Andrangs nur draußen auf der Treppe gewesen waren. Sie hatten nur gehört, daß, gegen den Schluß hin, ein brennender Papierpfropfen in das mit Schwärmern und Feuerrädern angefüllte Vorratsfaß des Puppenspielers gefallen sei und daß es im selben Augenblick einen Schlag und gleich darauf ein furchtbar Menschengedränge gegeben habe. In dem Gedräng aber seien zwei Frauen und ein sechsjährig Kind elendiglich ums Leben gekommen.

Grete richtete sich auf, ersichtlich um zu sprechen und den Bericht nach ihrem eigenen Erlebnis zu vervollständigen; als sie aber ihrer Schwieger ansichtig wurde, wandte sie sich ab und sagte: »Nein, ich mag nicht.«

Trud wußte wohl, was es war. Sie nahm deshalb ihres Mannes Hand und sagte: »Komm. Es ist besser, Grete bleibt allein. Wir wollen in die Stadt gehen und sehen, wo Hülfe not tut.« Und damit gingen beide.

Als sie fort waren, wandte sich Grete wieder und sagte, ohne daß es einer neuen Aufforderung bedurft hätte: »Ja, so war es. Der Hagre, mit den Schlackerbeinen und der häßlichen, spitzen Filzmütze, bat ihn eben, daß er ihm als einen Bringerlohn eine von den Seelen wieder freigeben solle – da gab es einen Knall, und als ich mich umsah, sah ich, daß alles nach der Türe hindrängte. Denn da, wo das Spiel gewesen war, war alles Rauch und Qualm und Feuer. Und ich dachte, der Letzte Tag sei da. Und Emrentz hatte mich bei der Hand genommen und zog mich mit sich fort. Aber mit einem Male war ich von ihr los, und da stand ich nun und schrie, denn es war, als ob sie mich erdrückten, und zuletzt hatt ich nicht Luft und Atem mehr. Da packte mich Valtin von hinten her und riß mich aus dem Gedränge heraus und in den Saal zurück. Und ich meinte, daß er irre geworden, und so wollt ich wieder in den Knäuel hinein. Er aber zwang mich auf eine Bank nieder und hielt mich mit beiden Händen fest. ›Willst du mich morden?‹ rief ich. ›Nein, retten will ich dich.‹ Und so hielt er mich, bis er sehen mochte, daß das Gedränge nachließ. Und nun erst nahm er mich auf seinen Arm und trug mich über den Vorplatz und die Treppe hinunter, bis wir unten auf dem Marktplatz waren. Da schwanden mir die Sinne. Und was weiter geschehen, weiß ich nicht. Aber das weiß ich, daß ich ohne Valtin erdrückt oder verbrannt oder vor Angst gestorben wäre.«

Der alte Minde war an einen Schrank getreten, um von seinem Melissengeist, den er noch bei den Brügger Karmeliterinnen erstanden hatte, ein paar Tropfen in ein Spitzglas mit Wein und Wasser zu tun. Grete nahm es; und als eine halbe Stunde später Trud und Gerdt von ihrem

Ausgange zurückkehrten, versicherte sie, kräftig genug zu sein, um ohne Beistand in ihre hohe Giebelstube hinaufsteigen zu können.

## Viertes Kapitel

### *Regine*

Diese Giebelstube teilte sie mit der alten Regine, die von lange her das Mindesche Hauswesen führte. Freilich, seit Trud da war, war es anders geworden, aber zu niemandes rechter Zufriedenheit. Am wenigsten zur Zufriedenheit der alten Regine. Diese setzte sich jetzt an das Bett ihres Lieblings, und Grete sagte: »Weißt du, Regine, Trud ist böse mit mir.«

Regine nickte.

»Und darum konnt ich's nicht sagen«, fuhr Grete fort, »ich meine das von dem Valtin, und daß er mich aus dem Feuer herausgetragen; und sie merkte wohl, was es war und warum ich schwieg und mich abwandte. Denke nur, ich soll nicht mehr sprechen mit ihm. Ja, so will sie's; ich weiß es von ihm selbst; er hat mir's heute gesagt. Und er hat es von der Emrentz. Aber die hat gelacht. Höre, Regine, der Emrentz könnt ich gut sein. Wenn ich doch eine Mutter hätte wie *die*! Ach, meine Mutter! Glaubst du nicht, daß sie mich liebhätte?«

»Das hätte sie«, sagte Regine und fuhr sich mit der Hand über das Auge; »das hätte sie. Jede Mutter hat ihr Kind lieb, und *deine* Mutter … ach, ich mag es gar nicht denken. Ja, mein Gretelchen, da hätten wir andre Tage, du und ich. Und der Vater auch. Er ist jetzt krank, und Trud ist hart mit ihm und glaubt es nicht. Aber ich weiß es und weiß schon, was ihm fehlt: ein Herz fehlt ihm, und das ist es, was an ihm nagt und zehrt. Ja, deine Mutter fehlt ihm, Gret. Er war nicht mehr jung, als er sie von Brügg' her ins Haus bracht, aber er liebte sie so, und das mußt er auch, denn sie war wie ein Engel. Ja, so war sie.«

»Und wie sah sie aus? Sage mir's.«

»Ach, du weißt es ja. Wie du. Nur hübscher, so hübsch du bist. Denn es ist, als ob du das blasse Bild von ihr wärst. Und so war es gleich den ersten Tag, als dein Vater dich auf den Arm nahm und sagte: ›Sieh, Gerdt, das ist deine Schwester.‹ Aber er wollte dich nicht sehn. Und als ich ihm zuredete und sagte: ›Sieh doch nur ihre schwarzen Augen; die hat sie von der Mutter‹, da lief er fort und sagte: ›Von *ihrer* Mutter. Aber das ist nicht meine.‹«

»Und wie war denn *seine* Mutter? Hast du sie noch gekannt?«

»O gewiß.«

»Und war sie schöner?«

»Ach, was du nur frägst, Gretel. Schöner als deine Mutter? Schöner war keine. 's war eine Stendalsche, weiter nichts, und der alte Zernitz, der sie nicht leiden konnt und immer über sie lachte, wiewohlen sie mit seiner eignen Frau zum Verwechseln war, der sagte: ›Höre, Regine, sieht sie nicht aus wie der Stendalsche Roland?‹ Und wahrhaftig, so sah sie auch aus, so steif und so lang und so feierlich. Und auch so schlohweiß, denn sie trug immer selbstgebleichtes Linnen! Und warum trug sie's? Weil sie geizig war; und es sollt immer mehr und mehr werden. Denn sie war eines reichen Brauherrn Tochter, und alles Geld, das wir haben, das kommt von ihr.«

»Und hatte sie der Vater auch lieb?«

»Ich hab ihm nicht ins Herz gesehen. Aber ich glaub's nicht recht. Denn sieh, sie hatte keine Liebe, und wer keine Liebe hat, der findt auch keine. Das ist so Lauf der Welt, und es war just so, wie's mit der Trud ist. Aber ein Unterschied ist doch. Denn unsre Trud, obwohlen sie mir das gebrannte Herzeleid antut, ist doch hübsch und klug und weiß, was sie will, und paßt ins Haus und hat eine vornehme Art. Das haben so die Gardelegenschen. Aber die Stendalsche, die hatt es nicht und hat keinem was gegönnt und paßte *nicht* ins Haus, und wäre nicht der Grabstein mit der langen Inschrift, es wüßte keiner mehr von ihr. Auch Gigas nicht. Und zu dem hielt sie sich doch und ging in die Beichte.«

»Und zu *dem* soll ich nun auch gehen, Regine; morgen schon. Trud ist bei ihm gewesen, und das Spielen und Klettern soll nun ein End haben, und ich soll vernünftig werden, so sagen sie. Aber ich fürchte mich vor Gigas. Er sieht einen so durch und durch, und mir ist immer, als mein er, ich verstecke was in meinem Herzen und sei noch katholisch von der Mutter her.«

»Oh, nicht doch, Gret. Er hat dich ja selber getauft. Und jeden Sonntag bist du zur Kirch und singst Doktor Lutheri Lieder, und singst sie, wie sie Gigas nicht singen kann. Ich hör immer deine feine kleine Stimme. Nein, nein, laß nur und ängst'ge dich nicht. Er meint es gut. Und nun schlaf, und wenn du von dem Puppenspiele träumst, so gib acht, mein Gretel, und träume von der Seite, wo die Engel stehn.«

Und damit wollte sie nebenan in ihre Kammer gehen. Aber sie kehrte noch einmal um und sagte: »Und weißt du, Grete, der Valtin ist doch ein guter Jung. Alle Zernitzens sind gut … Und von dem Valtin darfst du *auch* träumen. Ich erlaub es dir, *ich*, deine alte Regine.«

## Fünftes Kapitel

### *Grete bei Gigas*

Es war den andern Vormittag, und von Sankt Stephan schlug es eben zehn, als Trud und Grete die Lange Straße hinaufgingen. Trotz früher Stunde brannte die Sonne schon, und beide standen unwillkürlich still und atmeten auf, als sie den schattigen Lindengang erreicht hatten, der, an der niedrigen Kirchhofsmauer entlang, auf das Predigerhaus zulief. Auch dieses Haus selber lag noch unter alten Linden versteckt, in denen jetzt viele Hunderte von Sperlingen zwitscherten. Eine alte Magd, als die

Glocke das Zeichen gegeben, kam ihnen von Hof oder Küche her entgegen und wies, ohne gegrüßt oder gefragt zu haben, nach links hin auf die Studierstube. Wußte sie doch, daß Frau Trud immer willkommen war.

Es war ein sehr geräumiges Zimmer, mit drei großen und hohen Fenstern, ohne Vorhänge, wahrscheinlich um das wenige Licht, das die Bäume zuließen, nicht noch mehr zu verkümmern. An den Wänden hin liefen hohe Regale mit hundert Bänden in braun und weißem Leder, während an einem vorspringenden Pfeiler, gerade der Tür gegenüber, ein halblebensgroßes Kruzifix hing, das auf einen langen, eichenen Arbeitstisch herniedersah. Auf diesem Tische, zwischen aufgeschlagenen Büchern und zahlreichen Aktenstößen, aber bis an die Kruzifix-Wand zurückgeschoben, erhob sich ein zierliches, fünfstufiges Ebenholztreppchen, das, in beabsichtigtem oder zufälligem Gegensatz, oben einen Totenkopf und unten um seinen Sockel her einen Kranz von roten und weißen Rosen trug. Eigene Zucht. Zehn oder zwölf, die das Zimmer mit ihrem Dufte füllten.

Gigas, als er die Tür gehen hörte, wandte sich auf seinem Drehschemel und erhob sich, sobald er Trud erkannte. »Ich bitt Euch, Platz zu nehmen, Frau Minde.« Dabei schob er ihr einen Stuhl zu und fuhr in seiner Rede fort: »Das ist also Grete, von der Ihr mir erzählt habt, Eure Schwieger und Euer Kind. Denn Ihr tragt es auf dem Herzen, und sein Wohl und Weh ist auch das Eure. Und das schätz ich an Euch, Frau Minde. Denn der Teufel mit seinen Listen geht immer um, am meisten aber bei der Jugend, und von ihr gilt es doppelt: ›Wachet und betet, daß ihr nicht in Anfechtung fallet.‹ Betest du, Grete?«

»Ja, Herr.«

»Oft?«

»Jeden Abend.«

Er sah, daß Grete zitterte und immer auf Trud blickte, aber nicht um Rat und Trostes willen, sondern aus Scham und Scheu. Und Gigas, der nicht nur das menschliche Herz kannte, sondern sich aus erbitterten Glaubenskämpfen her auch einen Schatz echter Liebe gerettet hatte, wandte sich jetzt an Trud und sagte: »Ich spräche gern allein mit dem Kind. So's Euch gefällt, Frau Minde, wartet auf mich in Hof oder Garten. Ihr wißt den Weg.«

Und damit erhob sich Trud und verließ das Zimmer. Grete folgte mit dem Ohr und wurd erst ruhiger, als sie die schwere Hoftür in den Rollen gehn und wieder zuschlagen hörte.

Auch Gigas hatte gewartet. Nun aber fuhr er fort: »Also jeden Abend betest du, Grete. Das hör ich gern. Aber *was* betest du?«

»Ich bete die sieben Bitten.«

»Das ist gut. Aber was betest du noch?«

»Ich bet auch einen Spruch, den mich unsre alte Regine gelehrt hat.«

»Das ist die Magd, die dich großgezogen, eh deine Schwieger ins Haus kam?«

»Ja, Herr.«

»Und wie lautet der Spruch? Ich möcht ihn wohl hören. Denn sieh, Grete, das mußt du wissen, ein für allemal, so wie wir beten, so sind wir. Es ist schon ein Zeichen, wie der Mensch zum Menschen spricht, aber wie der Mensch zu Gott spricht, das entscheidet über ihn. Da liegt es, gut oder böse. Willst du mir den Spruch sagen? Du mußt dich nicht fürchten vor mir. Sammle dich und besinne dich. Sieh, ich will dir auch eine Rose schenken. Da. Und wie gut sie dir kleidet. Du gleichest deiner Mutter, aber nicht in *allem*, denk ich. Denn du weißt doch, daß sie sich zu dem alten Glauben hielt. Und sie mied mich, wenn ich in euer Haus kam. Aber ich habe für sie gebetet. Und nun sage mir deinen Spruch.«

»Ich glaube, Herr, es ist ein Lied.«

»Auch das ist gut. Spruch oder Lied. Aber beginne.«

Und nun faltete Grete die Hände und sagte, während sie zu dem Alten aufsah:

»Himmelwärts
Richte, Gott, mein sündig Herz,
Laß der Kranken und der Armen
Mich in ihrer Not erbarmen;
Was ich irdisch gebe hin,
Ist mir himmlischer Gewinn.«

Gigas lächelte. Die Lieblichkeit des Kindes ließ das Feuer, das sonst wohl auf seiner Stirne hoch aufgeschlagen hätte, nicht übermächtig werden, und er sagte nur: »Nein, Grete, das macht es nicht; darin erkenn ich noch die Torheit von den guten Werken. Lernen wir lieber einen andern Spruch. Denn sieh, unsre guten Werke sind nichts und bedeuten nichts, weil all unser Tuen sündig ist von Anfang an. Wir haben nichts als den Glauben, und nur eines ist, das sühnet und Wert hat: der Gekreuzigte.«

»Ja, Herr ... Ich weiß ... Und ich hab einen Splitter von seinem Kreuz.« Und sie zog in freudiger Erregung eine Goldkapsel aus ihrem Mieder.

Gigas war einen Augenblick zurückgetreten, und seine roten Augen schienen röter geworden. Aber er sammelte sich auch diesmal rasch wieder und nahm die Kapsel und betrachtete sie. Sie hing an einem Kettchen. In das obere Kapselstück war eine Mutter Gottes in feinen Linien eingegraben, innerhalb aber lag ein rotes Seidenläppchen und in diesem der Splitter. Der Alte knipste das Deckelchen wieder zu und sagte dann ruhig: »Es ist Götzendienst, Grete.«

»Ein Andenken, Herr! Ein Andenken von meiner Mutter. Und es ist alles, was ich von ihr hab. Ich habe sie nicht mehr gekannt, Ihr wißt es. Aber Regine hat mir das Kettchen umgehängt, als ich meinen zehnten Geburtstag hatte. So hat sie's der Mutter versprechen müssen, und seitdem trag ich es Tag und Nacht.«

»Und ich will es dir nicht nehmen, Grete, *jetzt* nicht. Aber ich denke, der Tag soll kommen, wo du mir es *geben* wirst. Denn verstehe wohl: wir sollen sein Kreuz tragen, aber keinen Splitter von seinem Kreuz, und nicht *auf* unserm Herzen soll es ruhen, sondern *in* ihm. Und nun laß uns gute Freunde sein. Ich sehe, du hast einen offenen Sinn und bist anders, als ich dachte. Aber es geht noch um in dir, und die Regine, mit der ich sprechen will, hat nicht gebührlich gesorgt, den alten Spuk mit seinen Ränken und Listen auszutreiben. Ich denke, Grete, wir wollen die Tenne reinfegen und die Spreu von dem Weizen sondern. Du hast das rechte Herz, aber noch nicht den rechten Glauben, und irrt der Glaube, so irrt auch das Herz. Und nun geh, Grete. Und die Gnade Gottes sei mit dir.«

Sie wollte seine Hand küssen, aber er litt es nicht und begleitete sie bis an die Stufen, die von der Diele her zu der Haustür hinaufführten. Hier erst wandt er sich wieder und ging über Flur und Hof auf den Garten zu, wo Trud, inmitten eines Buchsbaumganges, in stattlicher Haltung auf und nieder schritt. Beide begrüßten einander, und die Magd, die von ihrem Küchenfenster aus sehen konnte, wie der Alte sich aufrichtete und grader ging als gewöhnlich, verzog ihr Gesicht und murmelte vor sich hin: »Nicht zu glauben …! Und ist so alt und so fromm!« Und dabei kicherte sie und ließ an ihrem Lachen erkennen, daß sie den Gedanken in ihrer Seele weiterspann.

Trud und Gigas waren inzwischen den Garten hinaufgegangen und hielten vor einem runden Beet, das mit Rittersporn und gelben Studentenblumen dicht besetzt war. »Ich kann Euch nicht folgen, Frau Trud, in dem, was Ihr mir über das Kind gesagt habt«, sagte Gigas. »Ihr verkennt es. Es ist ein verzagtes Herz und kein trotzig Herz. Ich sah, wie sie zitterte, und der Spruch, den sie sagen sollte, wollt ihr nicht über die Lippen. Nein, es ist ein gutes Kind und ein schönes Kind. Wie die Mutter.«

In Truds Auge zuckte wieder ein gelber Strahl auf, denn sie hörte nicht gern eines andern Lob, und in herbem Tone wiederholte sie: »Wie die Mutter … Ich muß es glauben, daß sie schön war. *Ihr* sagt es, und alle Welt sagt es.

Aber ich wollte, sie wär es weniger gewesen. Denn damit zwang sie's und hat unser Haus behext und in den alten Aberglauben zurückfallen lassen. So fürcht ich. Und daß ich's offen gesteh, ich traue dem alten Jacob Minde nicht, und ich traue der Regine nicht. Und widerstünd es mir nicht, den Horcher und Späher im eigenen Haus zu machen, ich glaube, daß ich noch manches fänd wie Bild und Splitter.«

»Saget das nicht, Frau Trud. Euren Vater, den alten Ratsherrn, kenn ich von Beicht und Abendmahl und hab ihn allemal treu befunden. So das Unwesen aber im Mindeschen Hause umginge, was Gott in seiner Gnade verhüten wolle, so müßt ich Euch verklagen, Frau Trud, Euch, zu der ich mich alles Besten versehen habe. Denn Ihr beherrschet das Haus. Euer Vater ist alt, und Euer Eheherr ist ein Wachs in Eurer Hand, und Ihr wißt es wohl, aller Samen, der vom Unkraut fällt und wuchert, ist ein Unheil und schädigt uns das Korn für unsre himmlischen Scheuren.«

Sie hatten ihren Gang um das Rondel herum wiederaufgenommen, aus dessen kleinen dreieckigen Beeten die junge Frau jetzt einzelne Blumen pflückte. Beide schwiegen. Endlich sagte Trud: »Ich beherrsche das Haus, sagt Ihr. Ja, ich beherrsch es, und man gehorcht mir; aber es ist ein toter Gehorsam, von dem das Herz nicht weiß. *Das* trotzt mir und geht seinen eigenen Weg.«

»Aber Grete ist ein Kind.«

»Ja und nein. Ihr werdet sie nun kennenlernen. Achtet auf ihr Auge. Jetzt schläft es, und dann springt es auf. Es ist etwas Böses in ihr.«

»In uns allen, Frau Trud. Und nur zwei Dinge sind, es zu bändigen: der Glaube, den wir uns erbitten, und die Liebe, die wir uns erziehn. Liebt Ihr das Kind?«

Und sie senkte den Blick.

## Sechstes Kapitel

### *Das Maienfest*

Ein Jahr beinah war vergangen, und die Tangermünder feierten, wie herkömmlich, ihr Maienfest. Das geschah abwechselnd in dem einen oder andern jener Waldstücke, die die Stadt in einem weiten Halbkreis umgaben. In diesem Jahr aber war es im *Lorenzwald*, den die Bürger besonders liebten, weil sich eine Sage daran knüpfte, die Sage von der Jungfrau Lorenz. Mit dieser Sage aber verhielt es sich so. Jungfrau Lorenz, ein Tangermünder Kind, hatte sich in dem großen, flußabwärts gelegenen Waldstück, das damals noch die Elbheide hieß, verirrt, und als der Abend hereinbrach und noch immer kein Ausweg sichtbar wurde, betete sie zur Mutter Gottes, ihr beizustehen und sich ihrer Not zu erbarmen. Und als sie so betete, da nahte sich ihr ein Hirsch, ein hoher Elfender, der legte sich ihr zu Füßen und sah sie an, als spräch er: »Ich *bin* es, besteige mich nur.« Und sie bestieg mutig seinen Rücken, weil sie fühlte, daß ihr die Mutter Gottes das schöne Tier in Erhörung ihres Gebetes geschickt habe, und klammerte sich an sein Geweih. Der Hirsch aber trug sie, zwischen den hohen Stämmen hin, aus der Tiefe des Waldes heraus, bis an das Tor und in die Mitte der Stadt. Da blieb er und ließ sich fangen. Und die Stadt gab ihm ein eingehürdet Stück Weideland und hielt ihn in Schutz und Ansehen bis an seinen Tod. Und auch da noch ehrten sie das fromme Tier, das der Mutter Gottes gedient hatte, und brachten sein Geweih nach Sankt Nikolai und hingen es neben dem Altarpfeiler auf. Den Wald aber, aus dem er die Jungfrau hinausgetragen, nannten sie den *Lorenzwald.*

Und dahin ging es heut. Die Gewerke zogen aus mit Musik und Fahnenschwenken, und die Schulkinder folgten, Mädchen und Knaben, und begrüßten den Mai. Und dabei sangen sie:

»Habt ihr es nicht vernommen?
Der Lenz ist angekommen!
Es sagen's euch die Vögelein,
Es sagen's euch die Blümelein,
Der Lenz ist angekommen.

Ihr seht es an den Feldern,
Ihr seht es an den Wäldern;
Der Kuckuck ruft, der Finke schlägt,
Es jubelt, was sich froh bewegt,
Der Lenz ist angekommen!«

Und auch Trud und Gerdt, als der Nachmittag da war, hatten in gutem Mute die Stadt verlassen. Grete mit Reginen folgte. Draußen aber trafen sie die Zernitzens, alt und jung, die sich's auf mitgebrachten und umgestülpten Körben bequem gemacht und nun gar noch die Freud und Genugtuung hatten, die jungen Mindes, mit denen sie lieber als mit den andern Bürgersleuten verkehrten, an ihrer Seite Platz nehmen zu sehen. Auch Valtin und Grete begrüßten sich, und in kurzem war alles Frohsinn und guter Laune, voran der alte Zernitz, der sich, nach Abtretung seines Platzes an Trud, auf den Rain hingelagert und sein sichtliches und immer wachsendes Gefallen daran hatte, der stattlichen, in vollem Staat erschienenen jungen Frau über ihre Schönheit allerlei Schönes zu sagen. Und diese, hart und herbe, wie sie war, war doch Frau genug, sich der Schmeichelrede zu freuen. Emrentz drohte mit Eifersucht und lachte dazwischen, Gerdt summte vor sich hin oder steckte Butterblumenstielchen ineinander, und inmitten von Scherz und Geplauder sah ein jeglicher auf die sonnige Wiese hinaus, wo sich bunte Gruppen um Buden und Carrousel drängten, Bürger nach der Taube schossen und Kinder ihren Ringelreihen tanzten. Ihr Singen klang von der großen Linde her herüber, an deren untersten Zweigen rote und gelbe Tücher hingen.

So mocht eine Stunde vergangen sein, als sie, von der Stadt her, gebückt auf seinem flandrischen Pferde, des alten Minde gewahr wurden. Inmitten seiner Einsamkeit war er plötzlich von einer tiefen Sehnsucht erfaßt worden, den Mai noch einmal mitzufeiern; und nun kam er den breiten Waldweg herauf, auf die Stelle zu, wo die Zernitzens und Mindes gemeinschaftlich lagerten. Ein Diener schritt neben dem Pferde her und führte den Zügel. Was wollte der Alte? Wozu kam er? Und Trud und Gerdt empfingen ihn mit kurzen, rasch herausgestoßenen Fragen, die mehr nach Mißstimmung als nach Teilnahme klangen, und nur Grete freute sich von Herzen und sprang ihm entgegen. Und als nun Decken für ihn ausgebreitet lagen, stieg er ab und setzte sich an einen guten Platz, der den Waldesschatten über sich und die sonnenbeschienene Lichtung vor sich hatte.

Grete pflückte Blumen und sagte: »Soll ich dir einen Kranz flechten?«

Aber der Alte lächelte: »Noch nicht, Grete. Ich warte noch ein Weilchen.«

Und sie sah ihn mit ihren großen Augen an und küßte stürmisch seine welke Hand. Denn sie wußte wohl, was er meinte.

Eine Störung war sein Kommen gewesen, das empfanden alle, vielleicht er selbst. Der alte Zernitz zeigte sich immer schweigsamer, Emrentz auch, und Trud, um wenigstens zu sprechen, und vielleicht auch, um der beobachtenden Blicke Gretens überhoben zu sein, sagte zu dieser: »Du solltest unter die Linde gehen, Grete.«

»Und Valtin begleitet dich«, setzte Emrentz hinzu.

Beide wurden rot, denn sie waren keine Kinder mehr. Aber sie schwiegen und gingen auf die Wiese hinaus. »Sie wollen allein sein«, sagte Grete. »Seien wir's auch.« Und an den Schau- und Spielbuden vorbei nahmen sie, kreuz und quer, ihren Weg auf die kleinen und großen Gruppen zu, die sich bei Ringelstechen und Taubenschießen erlustigten. Aber zu der Linde, wo die Kinder spielten, gingen sie nicht.

Es war sehr heiß, so daß sie bald wieder den Schatten

aufsuchten, und jenseits der Lichtung angekommen, verfolgten sie jetzt einen halbüberwachsenen Weg, der sich immer tiefer in den Wald hineinzog. Es glühte schon in den Wipfeln, da flog eine Libelle vor ihnen her, und Grete sagte: »Sieh, eine Seejungfer. Wo *die* sind, da muß auch Wasser sein. Ein Sumpf oder ein Teich. Ob schon die Teichrosen blühn? Ich liebe sie so. Laß uns danach suchen.«

Und so gingen sie weiter. Aber der Teich wollte nicht kommen, und plötzlich überfiel es Greten: »Wo sind wir, Valtin? Ich glaube, wir haben uns verirrt.«

»Nicht doch. Ich höre ja noch Musik.«

Und sie blieben stehen und horchten.

Aber ob es eine Täuschung gewesen war oder ob die Musik eben jetzt zu schweigen begann, gleichviel, beide strengten sich vergeblich an, einen neuen Klang aufzufangen. Und es half auch zu nichts, als sie das Ohr an die Erde legten.

»Weißt du, Grete«, sagte Valtin, »ich werde hier hinaufsteigen. Das ist ein hoher Baum, da hab ich Übersicht, und es kann keine tausend Schritt sein.« Und er schwang sich hinauf und kletterte von Ast zu Ast, und Grete stand unten, und ein Gefühl des Alleinseins durchzitterte sie. Nun aber war er hoch oben. »Siehst du was?« rief sie hinauf.

»Nein. Es sind hohe Bäume rundum. Aber laß nur, die Sonne muß uns den Weg zeigen; wo sie niedergeht, ist Abend, und die Stadt liegt nach Mittag zu. Soviel weiß ich gewiß. Also *da* hinaus müssen wir.« Und gleich darauf war er wieder unten bei der ihn bang Erwartenden.

Sie schlugen nun die Wegrichtung ein, die Valtin von oben her mit der Hand bezeichnet hatte. Aber sosehr sie spähten und suchten, die Waldwiese kam nicht, und Grete setzte sich müd und matt auf einen Baumstumpf und begann leise vor sich hin zu weinen.

»Meine süße Grete«, sagte Valtin, »sei doch nicht so bang.« Und er umarmte sie und küßte sie herzlich. Und sie litt es und schlug nicht mehr nach ihm wie damals unter dem Kirschbaum; nein, ein Gefühl unendlichen Glückes überkam sie mitten in ihrer Angst, und sie sagte nur: »Ich will nicht mehr weinen, Valtin. Du bist so gut. Und wer gut ist, dem zuliebe geschehen Zeichen und Wunder. Und siehe, dessen bin ich gewiß, wenn wir zu Gott um seine Hülfe bitten, dann hilft er auch und führt uns aus dem Walde wieder ins Freie und wieder nach Haus. Gerade wie damals die Jungfer Lorenz. Denn wir sind ja hier im Lorenzwald.«

»Ja, Grete, da sind wir. Aber wenn der Hirsch käm und es wirklich gut mit uns meinte, dann trüg er uns an eine andre Stelle, denk ich, und *nicht* nach Haus. Denn wir haben eigentlich kein Haus, Grete. Du nicht, und ich auch nicht. Emrentz ist eine gute Frau, viel besser als Trud, und ich danke Gott alle Tage dafür; aber so sie mir nichts zuleide tut, so tut sie mir auch nichts zuliebe. Sie putzt sich für sich und für den Vater, und das ist alles. Nein, Grete, *nicht* in die Stadt und *nicht* nach Haus, lieber weit, weit fort, in ein schönes Tal, von Bergen eingeschlossen, und oben weiß von Schnee und unten bunt von Blumen …«

»Wo ist das?«

»Ich weiß es nicht. Aber ich hab einmal in einem alten Buche davon gelesen, und da wurde mir das Herz so weit. Zwischen hohen Felswänden liegt es, und der Sturm geht drüber hin und trifft es nie; und die Sonne scheint, und die Wolken ziehen; und ist kein Krieg und keine Krankheit; und die Menschen, die dort leben, lieben einander und werden alt und sterben ohne Schmerz.«

»Das ist schön«, sagte Grete. »Und nun komm und laß uns sehn, ob wir's finden.«

Und dabei lachten sie beid und schritten wieder rüstig vorwärts, denn die Schilderung von dem Tale hatte Greten erfrischt und ihr ihren Mut und ihre Kraft zurückgegeben. Und eine kleine Strecke noch, da lichtete sich's, und wie Dämmerung lag es vor ihnen. Aber statt der Waldwiese war es ein Uferstreifen, auf den sie jetzt hinaustraten, und dicht vor ihnen blitzte der breite Strom. »Ich will sehen, wohin er fließt«, sagte Valtin und warf einen Zweig hinein. »Nun weiß ich's. *Dorthin* müssen wir.« Und sie schritten flußaufwärts nebeneinanderher. Die Sterne kamen und spiegelten sich, und nicht lange mehr, so hörten sie das Schlagen der Glocken, und die Turmspitze von Sankt Stephan stieg in dunklen Umrissen vor ihnen auf.

Es war neun Uhr, oder schon vorüber, als sie das Mindesche Haus erreichten. Valtin trat mit in das untre Zimmer, in dem sich um diese Stunde nur noch Trud und Gerdt befanden, und sagte: »Hier ist Grete. Wir hatten uns verirrt. Aber ich bin schuld.« Und damit ging er wieder, während Grete verlegen in der Nähe der Türe stehenblieb.

»Verirrt«, sagte jetzt Trud, und ihre Stimme zitterte. »Ja, verirrt. Ich denke, weil ihr's wolltet. Und wenn ihr's *nicht* wolltet, weil ihr ungehorsam wart und nicht Zucht und Sitte kennt. Ihr solltet zu den Kindern gehen. Aber das war euch zuwider. Und so ging es in den Wald. Ich werde mit Gigas sprechen und mit deinem Vater. Der soll mich hören. Denn ich will nicht üble Nachred im Haus, ob er's gleich selber so gewollt hat. Gott sei's geklagt …! Was bracht er uns das fremde Blut ins Haus? Das fremde Blut und den fremden Glauben. Und arm wie das Heimchen unterm Herd.«

In diesem Augenblicke stand Grete vor Trud, und ihre bis dahin niedergeschlagenen Augen blitzten in einem unheimlichen Feuer auf: »Was sagst du da von fremd und arm? Arm! Ich habe mir's von Reginen erzählen lassen. Sie kam aus einem Land, wo sie glücklich war, und hier hat sie geweint und sich zurückgesehnt, und vor Sehnsucht ist sie gestorben. Arm! Wer war arm? Wer? Ich weiß es. *Du* warst arm. *Du*!«

»Schweig«, sagte Gerdt.

»Ich schweige nicht. Was wollt ihr? Ich bin nicht euer Kind. Gott sei Dank, daß ich's nicht bin. Ich bin eure Schwester. Und ich wollt, ich wär auch *das* nicht. Auch *das* nicht. Verklagt mich. Geht hin, und erzählt ihm, was ich gesagt hab; ich werd ihm erzählen, was ich gehört hab, heute draußen im Wald und hundertmal hier in diesem seinem Haus. Oh, ich hab euch zischeln hören. Und ich weiß alles, alles. Ihr wartet auf seinen Tod. Streitet nicht. Aber noch lebt er, und solang er lebt, wird er mich schützen. Und ist er tot, so schütz ich mich *selbst.* Ja, ich schütze mich selbst. Hörst du, Trud.« Und sie ballte ihre kleinen Hände.

Trud, in ihrem Gewissen getroffen, erkannte, daß sie zu weit gegangen, während Grete plötzlich aller Scheu los und ledig war, die sie bis dahin vor ihrer Schwieger gehabt hatte. Sie hatte das Gefühl eines vollkommenen Sieges und stieg, in der Freude darüber, in den zweiten Stock hinauf. Oben fand sie Reginen und erzählte ihr alles, was unten geschehen.

»Kind, Kind, das tut nicht gut, das kann sie dir nicht vergessen.«

Aber Grete war übermütig geworden und sagte: »Sie fürchtet sich vor mir. Laß sehn; ich habe nun bessere Tage.«

## Siebentes Kapitel

### *Jacob Mindes Tod*

Und wirklich, es war, als ob Grete recht behalten sollte. Weder des Umherirrens im Walde noch des heftigen Streites, der den Tag beschlossen, wurde von Trud irgend noch erwähnt; allem Anscheine nach auch gegen Gigas nicht, der sonst kaum ermangelt haben würde, von dem graden Pfade des Rechts und von dem »Irrpfad in der Wildnis« zu sprechen. Aber solche Predigt unterblieb, und die Sommermonate vergingen ruhiger als irgendeine Zeit vorher. Aller Groll schien vergessen, und Grete, die, nach Art leidenschaftlicher Naturen, ebenso rasch zu gewinnen als zu reizen war, gewöhnte sich daran, in den Stunden, wo Gerdt außerhalb des Hauses seinen Geschäften nachging, in Truds Schlafzimmer zu sitzen und ihr vorzuplaudern oder vorzulesen, was sie besonders liebte. Und wenn Regine den Kopf schüttelte, sagte sie nur: »Du bist eifersüchtig und kannst sie nicht leiden. Aber sie meint es gut, und es war auch nicht recht, daß wir in den Wald gingen.«

So kam der Einsegnungstag, Ende September, und den Sonntag darauf war Abendmahl, an dem alle Mitglieder des Hauses teilnahmen. Alle zeigten sich in gehobener Stimmung, der alte Jacob Minde aber, trotzdem er nur mit Mühe den Kirchgang gemacht hatte, war mitteilsamer denn seit lange, plauderte viel von seiner Jugend und seinem Alter und sprach auch abwechselnd und ohne Scheu von Gerdts und von Gretens Mutter, als ob kein Unterschied wäre. Trud und Gerdt sahen dabei einander an, und was in ihren Blicken sich ausgesprochen hatte, das sollte sich anderntags bestätigen. Denn in aller Frühe schon lief es durch die Stadt, daß der alte Ratsherr auf den Tod liege, und als um die sechste Stunde der Schein der niedergehenden Sonne drüben an den Häuserfronten glühte, bat er Reginen, daß sie die Vorhänge zurückschieben und die Kinder rufen solle. Und diese kamen, und Grete nahm seine Hand und küßte sie. Gleich danach aber winkte der Alte seine Schwieger zu sich heran und sagte: »Ich lege sie dir ans Herz, Trud. Erinnere dich allezeit an die Mahnung des Propheten: ›Laß die Waisen Gnade bei dir finden.‹ Erinnere dich daran und handle danach. Versprich es mir und vergiß nicht diese Stunde.« Trud antwortete nicht, Grete aber warf sich auf die Knie und schluchzte und betete, und ehe sie ihren Kopf wieder aufrichtete, war es still geworden in dem kleinen Raum.

Am dritten Tage danach stand der alte Minde hoch aufgebahrt in Sankt Stephan, der tangermündischen Hauptkirche, die, nach Art mittelalterlicher Gotteshäuser, hart am Rande der Stadt gelegen war. Auf dem Altar brannten die großen Kerzen, und ringsumher saßen die Ratmannen der Stadt, obenan der alte Peter Guntz, der nicht geglaubt hatte, seinen so viel jüngeren Freund überleben zu müssen. Keiner fehlte; denn die Mindes waren das älteste Geschlecht und das vornehmste, wirkliche Kaufherren, und seit Anbeginn im Rate der Stadt. In nächster Nähe des Sarges aber standen die Leidtragenden. Gerdt sah vor sich hin, stumpf wie gewöhnlich, während Trud und Grete, schwarz und in wollene Stoffe gekleidet, zum Zeichen ihrer tiefsten Trauer bis über Kinn und Mund hinauf hohe weiße Tücher trugen, die nur den Oberkopf frei ließen. Grete, kaum fünfzehn Jahr, sah um vieles älter aus, als sie war, und alles Kindliche, das ihre Erscheinung bis dahin gehabt hatte, schien mit diesem Tage von ihr gewichen.

Die Orgel spielte, die Gemeinde sang, und als beide schwiegen, trat Gigas aus der Sakristei und schritt auf die Altarstufen zu. Er schien noch ernster als gewöhnlich, und sein Kopf mit dem spärlichen weißen Haar sah unbeweglich über die hohe Radkrause hinweg. Und nun begann er. Erst hart und herbe, wie fast immer die Strenggläubigen, wenn sie von Tod und Sterben sprechen; als er aber das Allgemeine ließ und vom Tod überhaupt auf *diesen* Toten kam, wurd er warm und vergaß aller Herbigkeit. Er, dessen stummes Antlitz hier spräche, so hob er mit immer eindringlicher werdender Stimme an, sei ein Mann gewesen wie wenige, denn er habe beides gehabt, den Glauben und die Liebe. Da sei keiner unter ihnen, an dem er seine Liebe nicht betätigt habe; der Arme habe seine Mildtätigkeit, der Freund seine Hülfe, die Bürgerschaft seinen Rat erfahren, und seine klugen und feinen Sitten seien es gewesen, die bis nach Lübeck und bis in die Niederlande hin das Ansehen der Stadt auf die jetzige Höhe gehoben hätten. Dies wüßten alle. Aber von seinem Glauben und seiner Glaubensfestigkeit wisse nur *er*. Und wenn schon jeder in Gefahr stehe, Unkraut unter seinem Weizen aufschießen zu sehen, so habe doch diese Gefahr keinem so nahe gestanden wie diesem Toten. Denn nicht nur, daß er eine Reihe von Jahren unter den Bekennern der alten Irrlehre gelebt, die bedrohlichste Stunde für das Heil seiner Seele sei die Stunde seiner zweiten Eheschließung gewesen. Denn die Liebe zum Weibe, das sei die größte Versuchung in unsrer Liebe zu Gott. Aber er hab ihr widerstanden und habe nicht um irdischen Friedens willen den ewigen Frieden versäumt. In seinem Wandel ein Vorbild, werde sich die selige Verheißung, die Christus der Herr auf dem Berg am Galiläischen Meer gegeben, dreifach an ihm erfüllen. Sei er doch friedfertig und sanftmütig gewesen und reinen Herzens.

Und nun sangen sie wieder, während die Träger den Toten aufhoben und ihn das Mittelschiff entlang aus der Kirche hinaus auf den Kirchhof trugen. Denn ein Grab im Freien war sein Letzter Wille gewesen. Draußen aber, unter alten Kastanienbäumen, deren Laub sich herbstlich zu färben anfing, setzten sie den Sarg nieder, und als er hinabgelassen und das letzte Wort gesprochen war, kehrten alle heim, und Trud und Gerdt schritten langsam die Lange Straße hinunter, bis an das Mindesche Haus, das nun *ihre* war. Nur Grete war geblieben und huschte heimlich in die Kirche zurück und setzte sich auf die Bahre, die noch an alter Stelle stand. Sie wollte beten, aber sie konnte nicht und sah immer nur Trud, so herb und streng, wie sie sie *früher* gesehen hatte, und fühlte deutlich, wie sich ihr das Herz dabei zusammenschnürte. Und eine Vorahnung überkam sie wie Gewißheit, daß Regine doch wohl recht gehabt haben könne. So saß sie und starrte vor sich hin und fröstelte. Und nun sah sie plötzlich auf und gewahrte, daß das Abendrot in den hohen Chorfenstern stand und daß alles um sie her wie in lichtem Feuer glühte: die Pfeiler, die Bilder und die hochaufgemauerten Grabsteine. Da war es ihr, als stünde die Kirche rings in Flammen, und von rasender Angst erfaßt, verließ sie den Platz, auf dem sie gesessen, und floh über den Kirchhof hin.

In den engen Gassen war es schon dunkel geworden, der rote Schein, der sie geängstigt, schwand vor ihren Augen, und ihr Herz begann wieder ruhiger zu klopfen. Als sie aber den Flur ihres Hauses erreicht hatte, stieg sie zu Reginen hinauf und umarmte sie und küßte sie und sagte: »Regine, nun bin ich ganz allein. Eine Waise!«

## Achtes Kapitel
### *Eine Ritterkette*

Eine Waise war sie, und sie sollt es nur allzubald empfinden. Anfangs ging es, auch noch um die Christzeit, als aber Ostern herankam, wurd es anders im Haus, denn es geschah, was nicht mehr erwartet war: Trud genas eines Knäbleins. Da war nun die Freude groß, und auch Grete freute sich. Doch nicht lange. Bald mußte sie wahrnehmen, daß das Neugeborene alles war und sie nichts; Regine kochte den Brei, und sie gab ihn. Daß sie selber ein Herz habe und ein Glück verlange, daran dachte niemand; sie war nur da um andrer Glückes willen. Und das verbitterte sie.

Ein Trost war, daß sie Valtin häufiger sah. Denn Trud hatte für nichts Sinn mehr als für das Kind, und nur selten, wenn sie sich aus Laune oder Zufall auf ihr Hüteramt besann, fiel sie vorübergehend in ihre frühere Strenge zurück.

So vergingen die Tage, meist ohne Streit, aber noch mehr ohne Lust und Freud, und als es jährig war, daß sie den alten Minde von seinem Platz vor dem Altar auf den Kirchhof hinausgetragen hatten, ging Grete gen Sankt Stephan, um seiner an seinem Grabe zu gedenken.

Es war ein schöner Oktobertag, und die Kastanien lagen ausgestreut umher. Grete setzte sich auf den Hügel, und das Bild des geliebten Toten stand wieder vor ihrer Seele, blaß und freundlich, und sie hing ihm noch in süßer Trauer nach, als sie sich plötzlich bei Namen gerufen hörte. Sie sah auf und erkannte Valtin. Er hatte sie das Haus verlassen sehen und war ihr nachgegangen.

»Wie geht es?« fragte Grete.

Valtin antwortete nicht gleich. Endlich sagte er: »Ich mag nicht klagen, Grete, denn dein eigen Herz ist voll. Aber das muß wahr sein, Emrentz ist wie vertauscht und hat was gegen mich. Und erst seit kurzem. Denn, wie du weißt, ich hatt es nicht gut und hatt es nicht schlecht. So hab ich dir oft gesagt, und so war es. Aber seit ihr das Kleine habt, ist es anders. Und jeden Tag wird es schlimmer. Es ist ordentlich, als ob sie's der Trud nicht gönnte. Was meinst du?«

Grete schüttelte den Kopf. »Nein, das ist es nicht. Ich weiß aber, was es ist, und Trud ist wieder schuld. Sie verredet dich bei der Emrentz. *Das* ist es.«

»Verredet mich? Ei, da laß doch hören«, sagte Valtin.

»Ja, verredet dich. Ich weiß es von der Regine. Die war in der Hinterstub oben und wiegte das Kind, als sie beid am Fenster saßen. Und da hörte sie dein Lob aus der Emrentz Mund, und wie sie sagte: ›Du seist ein guter Jung und machtest ihr das Leben nicht schwer, was du doch könntest, denn sie sei ja noch jung und deine Stief.‹ Aber das mißfiel unsrer Trud, und sie nahm ihren spöttischen Ton an und fragte nur: ob sie denn blind sei. Und ob sie nicht säh, wie dir der Schalk im Nacken säße. Du lachtest ja über sie.«

Valtins Augen waren immer größer geworden, aber Grete sah es nicht und fuhr unverändert fort: »Und das glaube nur, Regine hört alles und sieht alles. Und sie sah auch, wie sich Emrentz verfärbte, erst rot und dann erdfahl im ganzen Gesicht. Und so bitterbös. Und dann hörte sie, wie sie der Trud zuflüsterte: ›Ich danke dir, Trud, und ich will nun ein Auge darauf haben.‹«

»Also daher!« sagte Valtin. »Aber gut, daß ich es weiß. Ich will sie zur Rede stellen, eure Trud, wenn ich ihr auf Flur oder Treppe begegne. Mich verreden. Das ist schlecht.«

»Und unwahr dazu.«

Valtin schwieg eine Weile. Dann nahm er Gretens Hand und sagte beinah kleinlaut: »Nein, unwahr eigentlich nicht. Es ist wahr, ich habe mich abgewandt und hab auch gelacht. Aber ich tat's nicht in Bösem und wollt ihr nicht wehe tun. Und das weiß die Trud auch. Und sie weiß auch, daß ich der Emrentz nicht gram bin, nein, ganz und gar nicht, und daß ich mich eigentlich freue, daß er sie gern hat, wenn ich auch so manchmal meine Gedanken darüber habe. Denn er ist ein andrer Mann worden, und unser Haus ist ein ander Haus worden als vordem; und das alles dank ich ihr. Eine Stief ist freilich eine Stief, gewiß, das bleibt, und wenn ich da bin, ist es gut, und wenn ich nicht da bin, ist es noch besser; ich weiß es wohl, und es geht ihr nichts zu Herzen, wenn's nicht eine neue Mod oder ein Putz oder eine Gasterei ist; aber eigentlich hab ich sie doch gern, und weißt du, Gret, ich werde mit *ihr* sprechen und nicht mit der Trud. Ich bin jetzt achtzehn, und mit achtzehn, da darf man's. Und ich wette, sie nimmt's gut auf und gibt mir einen Kuß und ruft den Vater und erzählt ihm alles und sagt ihm alles und sagt ihm auch, daß er schuld sei, ja *er*, *er*, und daß sie *mich* heiraten wolle, nächstens schon, wenn er nicht anders würde, ganz anders. Und dann lacht er immer, weil er es gern hört. Aber sie sagt es noch lieber.«

Grete, die, während er sprach, eine Menge der umherliegenden Kastanien gesammelt und aufgezogen hatte, hing sie sich jetzt als Schnur um den Hals und sagte: »Wie kleidet es mir?«

»Ach, dir kleidet alles. Du weißt es ja, und alle Leute wissen's. Und sie sagen auch, es sei hart, daß du dein Leben so vertrauern müßt. Immer so mit dem Kind …«

Grete seufzte. »Freilich, es ist nichts Feins; aber bei Tag ist es ein Spielzeug, und dann sieh, dann gibt mir's auch zu lachen, wenn ich so seh, wie sie das Würmchen aufputzen und einen kleinen Prinzen aus ihm machen möchten. Denn du mußt wissen, es ist ein häßlich Kind, und alles an ihm hat eine falsche Stell und paßt nicht recht zusamm', und ich seh es in Gedanken schon groß, wie's dann auch so hin und her schlenkert, grad wie der Gerdt, und sitzt immer krumm und eingesunken und streckt die Beine weit, weit von sich. Ach, es hat schon jetzt so lange dünne Beinchen. Wie die Spinn an der Wand.«

»Und Trud?« fragte Valtin.

»*Die* sieht nur, daß es ein hübsches Kind ist, oder sie tut doch so. Und dann fragt sie mich: ›Nicht wahr, Gret, es sieht gut?‹ Und wenn ich dann schweig oder verlegen seh, dann redet sie auf mich ein, und dann heißt es: ›Sieh doch nur den Mund; ist er nicht klein? und hat auch nicht solchen Wulst. Und seine Augen stehen nicht so vor.‹ Aber es hilft ihr nichts, es ist und bleibt der Gerdt, und ist ihm wie aus dem Gesicht geschnitten.«

Valtin schüttelte den Kopf und sagte: »Und das ist alles, was du hast?!«

»Ja und nein. Und du mußt mich nicht bedauern. Denn ich habe ja noch die Regine, die mir von alten Zeiten erzählt, und ich habe Gigas, der mir seine Blumen zeigt. Und dann hab ich den Kirchhof. Und mitunter, wenn ich ein rechtes Glück hab, dann hab ich *dich.*«

Er sah sie zärtlich an und sagte: »Du bist so gut und trägst alles und willst *nichts.*«

Sie schüttelte den Kopf. »Ich will eigentlich viel, Valtin.«

»Ich glaub's nicht.«

»Doch, doch. Denn sieh, Liebe will ich, und das ist viel. Und ich kann kein Unrecht sehn. Und wenn ich's seh, da gibt es mir einen Stich, hier gerad ins Herz, und ich möchte dann weinen und schrein.«

»Das ist es ja, Grete. Darum bist du ja so gut.« Und er nahm ihre Hand und drückte sie und sagte ihr, wie lieb er sie habe. Und dann sprach er leiser und fragte sie, ob sie sich nicht öfter sehen könnten, so wie heut, und so ganz wie von ungefähr. Und dann nannt er ihr die Plätze, wo's am ehesten ginge. Hier der Kirchhof sei gut, aber eigentlich die Kirche drin, die sei noch besser. Am besten aber sei die *Burg*, da sei niemand und sei alles so schön und so still und der Blick so weit.

Grete war es zufrieden, und sie sagten einander zu, daß sie, solange die schönen Herbstestage dauerten, sich allwöchentlich einmal oben auf der Burg treffen und miteinander plaudern wollten. Und als sie das beschlossen, hing ihm Grete die Kastanienkette um, die sie bis dahin getragen, und sagte ihm, er sei nun ihr Ritter, der zu ihr halten und für sie fechten und sterben müsse. Und dabei lachten sie. Gleich danach aber trennten sie sich und gingen auf verschiedenen Wegen, auf daß niemand sie zusammen sähe, wieder in ihre Wohnung zurück.

## Neuntes Kapitel

### *Auf der Burg*

Sie hielten Wort, und eine Woche später, während welcher Grete mehr als seit lang unter Truds Launen und einem Rückfall in ihre frühere Strenge gelitten hatte, trafen sie sich nachmittags auf dem Kirchhof und gingen durch Tor und Vorstadt erst bis an die »Freiheit« und dann auf einem ansteigenden Schlängelwege bis zur Burg selbst hinauf. Hier, auf dem großen Außenhof, der zugleich als Wirtschaftshof diente, war ein buntes und bewegtes Leben: im Taktschlag klang es von der Tenne her, die Scheunentore standen offen, und die Mädchen, die beim Flachsbrechen waren, sangen über den Hof hin:

»Es waren zwei Königskinder,
Die hatten einander so lieb,
Sie konnten zusammen nicht kommen,
Das Wasser war viel zu tief.

›Ach Liebster, könntest du schwimmen,
So schwimme doch her zu mir …‹«

Es klang so traurig. Aber die Gesichter der Mädchen lachten dabei.

»Hörst du«, sagte Valtin, »das gilt uns. Sieh nur die Hübsche mit dem Flachskopf. Sieht sie nicht aus, als könnte sie sich ihr Brauthemd von ihrem eignen Wocken spinnen?«

Grete schwieg. Ihr war so weh. Endlich sagte sie: »Laß uns gehen, Valtin. Ich weiß nicht, was es ist. Aber das fühl ich, daß ich hier auch stehen und die Hände fleißig rühren und singen möcht. Sieh nur, wie die Spreu von der Tenne fliegt. Es ist alles so frei und luftig hier, und wenn ich hier mitstünd, ich glaube, da verwehte manches, was mich quält und drückt.«

Valtin suchte nach einem Trosteswort, und sie schritten, als er sie wieder beruhigt, über einen wüsten Grasplatz, auf einen aufgemauerten und halbausgetrockneten Graben zu, der den großen, äußeren Burghof von dem kleinen, inneren trennte. Eine schmale Zugbrücke führte hinüber, und sie passierten sie. Drinnen war alles still: der Efeu wuchs hoch am Gemäuer auf, und in der Mitte stand ein alter Nußbaum, dessen weites Geäst den halben Hofraum überdachte. Und um den ausgehöhlten Stamm her war eine Bank. Grete wollte sich setzen; Valtin aber nahm ihre Hand und sagte: »Nicht hier, Grete; es ist zu stickig hier.« Und damit gingen sie weiter, bis an den Fuß eines steilen, in die Rasenbettung eingeschnittenen Treppchens, das oben auf einen breiten, von zwei Türmen flankierten Wallgang mündete. Zwischen diesen Türmen aber lief eine dicke, niedrige Feldsteinmauer, die nur um ein paar Fuß höher war als der Wallgang selbst. Und auf diese Mauer setzten sie sich und sahen in die Landschaft hinaus. Zu Füßen hatten sie den breiten Strom und die schmale Tanger, die spitzwinklig in den Strom einmündete, drüben aber, am andern Ufer, dehnten sich die Wiesen, und dahinter lag ein Schattenstrich, aus dessen Lichtungen hier und dort eine vom Abendrot übergoldete Kirchturmspitze hervorblickte. Der Himmel blau, die Luft frisch; Sommerfäden zogen, und in das Geläut der ersten heimwärtsziehenden Herden mischte sich von weit her das Anschlagen der Abendglocke.

»Ach, wie schön«, sagte Grete. »Jahr und Tag, daß ich nicht hier oben war. Und mir ist fast, als hätt ich es nie gesehen.«

»Das macht, daß wir einen so schönen Tag haben«, sagte Valtin.

»Nein, das macht, daß es hier so frisch und so weit ist,

und zu Haus ist es so dumpf und so eng. Da bin ich wie gefangen und eingemauert, eingemauert wie die Stendalsche Nonne, von der mir Regine so oft erzählt hat.«

»Und du möchtest fort.«

»Lieber heut als morgen. Entsinnst du dich noch, Maifest vorm Jahr, als wir uns verirrt hatten und auf den Hirsch warteten, der uns aus dem Walde hinaustragen sollte!«

Valtin nickte.

»Sieh, da sprachst du von einem Tal, das tief in Bergen läg, und der Sturm ginge drüber hin, und wäre kein Krieg, und die Menschen liebten einander. Und ich weiß, daß ich das Tal in Wachen und in Träumen sah. Viele Wochen lang. Und ich sehnte mich danach und wollte hin. Aber heute will ich nur noch fort, nur noch weg aus unserm Haus. Wohin ist gleich. Es schnürt mir die Brust zusammen, und ich habe keinen Atem mehr.«

»Aber du hast doch die Regine, Gret. Und Gigas ist gut mit dir. Und dann sieh, Emrentz kann dich leiden. Ich weiß es; sie hat mir's selber gesagt, keine drei Tage erst, als ich mein Aussprach mit ihr hatt. Und dann, Grete, du weißt ja, dann hast du *mich.*«

Sie blickte sich scheu-verlegen um. Und als sie sah, daß sie von niemand belauscht wurden, trat sie rasch auf ihn zu, strich ihm das Haar aus der Stirn und sagte: »Ja, *dich* hab ich. Und ohne dich wär ich schon tot.«

Valtin zitterte vor Bewegung. Er erkannte wohl, wie tiefunglücklich sie sei, und sagte nur: »Was ist es, Grete? Sag es. Vielleicht, daß ich es mit dir tragen kann. Was drückt dich?«

»Das Leben.«

»Das Leben?« Und er sah sie vorwurfsvoll an.

»Nein, nein. Vergiß es. Nicht das Leben. Aber der Tag drückt mich; jeder; heute, morgen, und der folgende wieder. Endlos, endlos. Und ist kein Trost und keine Hülfe.«

»Der Tag«, wiederholte Valtin vor sich hin, und es war, als überleg er's und mustre die Reihe seiner eigenen Tage.

»Ja, der Tag«, fuhr Grete fort. »Und jede Stund ist lang wie das Jahr. Kaum daß ich den Morgenschlaf aus den Augen hab, so heißt es: ›Das Kind, das Kind.‹ Und nun spring ich auf und mache das Bad und mache den Brei. Und nun ist das Bad viel zu heiß und der Brei viel zu kalt. Und dann wieder: ›Das Kind und das Kind.‹ Und an mir sehen sie vorbei, als wär ich der Schatten an der Wand. Ach, ich weiß, es ist eine Sünd, aber ich muß mir's heruntersprechen von der Seel, und wahr ist es und bleibt es, ich haß es. Und so kommt Mittag, und wir sitzen an dem runden Tisch, und ich spreche das Gebet. Sprech es, und niemand hört darauf. Und wenn ich das letzte Wort gesprochen, so heißt es: ›Grete, sieh, ich glaub, es schreit.‹ Und dann bring ich es, und dann geht es reihum, und dann soll ich essen mit dem Kind im Arm. Und wenn es hübsch wär. Aber es ist so häßlich und sieht mich an, als erriet es all meine Gedanken. Ach, Valtin, das ist mein Tag und mein Nacht. Und so leb ich. In meines Vaters Haus ohne Heimat! Unter Bruder und Schwester, und ohne Liebe! Es tötet mich, daß mich niemand liebt. Ach, wie's mich danach verlangt! Nur ein Wort, nur ein einzig Wort.« Und sie warf sich auf die Knie und legte den Kopf auf den Stein und weinte bitterlich.

»Es kommen andere Tage«, sagte Valtin. »Und wir wollen aushalten. Und wenn sie *nicht* kommen, eins mußt du wissen, Gret, ich tu alles, was du willst. Sage, daß ich hier hinunterspringe, so spring ich, und sage, daß du fort willst, so will ich auch fort. Und wenn es in den Tod ging! Ich kann nicht leben ohne dich. Und ich will auch nicht.«

Grete war aufgesprungen und sagte: »*Das* hab ich hören wollen. Das, das! Und nun kann ich wieder leben, weil ich dies Elend nicht mehr endlos seh. Ich weiß nun, daß ich's ändern kann, jeden Tag und jede Stunde. Sieh mich nicht so an. Erschrick nicht. Ich bin nicht so wild und unbändig, wie du denkst. Nein, ich will still und ruhig sein. Und wir wollen aushalten, wie du sagst, und wollen hoffen und harren, bis wir groß sind und unser Erbe haben. Denn wir haben doch eins, nicht wahr? Und haben wir *das*, Valtin, so haben wir uns, und dann haben wir die ganze Welt. Und dann sind wir glücklich. Ach, wie mir so leicht ums Herz geworden. Und nun komm und laß uns gehn. Die Sonn ist unter, und die letzten Herden sind eben herein.«

Er war es zufrieden, und sie wandten sich und gingen heimwärts, erst unter dem Nußbaum hin und dann über die kleine Zugbrücke fort, die von dem inneren Burghof in den Außenhof führte. In dem Sumpfwasser unter ihnen stand das Rohr und wuchs hoch hinauf bis an das Brükkengebälk. Ein paar blaue Dolden, blattlos und auf langen Stielen, blühten einsam dazwischen. Und nun waren sie wieder jenseits und sahen, daß alle Arbeit in Hof und Tenne schwieg. Die Mädchen, die beim Flachsbrechen gewesen waren, hatten sich mit den Knechten auf Bretter und Balken gesetzt, die hoch aufgeschichtet an einem Holunderzaune lagen, und sangen allerlei Lieder, Lustiges und Schelmisches, und neckten sich untereinander. Als sie aber des jungen Paares ansichtig wurden, brachen sie plötzlich ab und nahmen wie von selber die Weise wieder auf, die sie, eine Stunde vorher, bei beider Kommen gesungen hatten:

»›Ach Tochter, herzliebste Tochter,
Allein sollst du nicht gehn,
Weck auf deine jüngste Schwester
Und laß sie mit dir gehn.‹

›Ach Mutter, herzliebste Mutter,
Meine Schwester ist noch ein Kind,
Sie pflückt ja all die Blumen,
Die auf grüner Heide sind.‹«

Valtin und Grete waren rascher zugeschritten, und die letzten Worte des Liedes verklangen ihnen unklar und halbgehört. Aber die Weise traf noch ihr Ohr, als sie das Burgtor schon lang im Rücken hatten.

## Zehntes Kapitel
### *Zu Weihnachten*

»Ich kann nun wieder leben«, hatte Grete gesagt, und wirklich, das Leben wurd ihr leichter seitdem. Ein beinah freudiger Trotz, dem sie sich, auch wenn sie gehorchte, hingeben konnte, half ihr über alle Kränkungen hinweg. Sie gehorchte ja nur noch, weil sie gehorchen wollte. Wollte sie *nicht* mehr, so konnte sie, wie sie zu Valtin gesagt hatte, jeden Tag »dem Spiel ein Ende machen«. Und wirklich, ein Spiel war es nur noch, oder sie wußt es doch in diesem Lichte zu sehen. Das gab ihr eine wunderbare Kraft, und wenn sie dann spätabends in ihre Giebelstube hinaufstieg, die sie, seit das Kind unten aus der ersten Pflege war, wieder mit Reginen bewohnte, so gelang es ihr, mit dieser zu lachen und zu scherzen. Und wenn es dann hieß, »aber nun schlafe, Gret«, dann wickelte sie sich freilich in ihre Decken und schwieg, aber nur, um sich in wachen Träumen eine Welt der Freiheit und des Glückes aufzubauen. Dabei sah sie sich am liebsten am Bug oder Steuer eines Schiffes stehen, und der Seewind ging, und es war Nachtzeit, und die Sterne funkelten. Und sie sah dann hinauf, und alles war groß und weit und frei. Und zuletzt überkam es sie wie Frieden inmitten aller Sehnsucht, ihr Trotz wurde Demut, und an Stelle des bösen Engels, der ihren Tag beherrscht hatte, saß nun ihr guter Engel an ihrem Bett. Und wenn sie dann andren Tags erwachte und hinuntersah auf den Garten und den Pfau auf seiner Stange kreischen hörte, dann fragte sie sich: »Bist du noch du selbst? Bist du noch unglücklich?« Und mitunter wußte sie's kaum. Aber freilich auch andere Tage kamen, wo sie's wußte, nur allzu gut, und wo weder ihr guter noch ihr böser Engel, weder ihre Demut noch ihr Trotz sie vor einem immer bitterer und leidenschaftlicher aufgärenden Groll zu schützen wußte.

Ein solcher Tag, und der bittersten einer, war der

Weihnachtstag, an dem auch diesmal ein Christbaum angezündet wurde. Aber nicht für Grete. Grete war ja groß, nein, nur für das Kleine, das denn auch nach den Lichtern haschte und vor allem nach dem Goldschaum, der reichlich in den Zweigen glitzerte. »'s ist Gerdts Kind«, sagte Grete, der ihres Bruders Geiz und Habsucht immer ein Abscheu war; und sie wandte sich ihren eigenen Geschenken zu. Es waren ihrer nicht allzu viele: Lebkuchen und Äpfel und Nüsse, samt einem dicken Spangen-Gesangbuch (trotzdem sie schon zwei dergleichen hatte), auf dessen Titelblatt in großen Buchstaben und von Truds eigener Hand geschrieben war: Sprüche Salomonis, Kap. 16, Vers 18.

Sie kannte den Vers nicht, wußte aber, daß er ihr nichts Gutes bedeuten könne, und sobald sich's gab, war sie treppauf, um in der großen Bibel nachzuschlagen. Und nun las sie: »Wer zugrunde gehen soll, der wird stolz, und stolzer Mut kommt vor dem Fall.«

Es schien nicht, daß sie verwirrt oder irgendwie betroffen war, sie strich nur, schnell entschlossen, die von Trud eingeschriebene Zeile mit einer dicken Feder durch, blätterte hastig in dem Alten Testamente weiter, als ob sie nach einer bekannten, aber ihrem Gedächtnis wieder halb entfallenen Stelle suche, und schrieb dann ihrerseits die Prophetenstelle darunter, die des alten Jacob Minde letzte Mahnung an Trud enthalten hatte: »Lasse die Waisen Gnade bei dir finden.« Und nun flog sie wieder treppab und legte das Buch an seinen alten Platz. Trud aber hatte wohl bemerkt, was um sie her vorgegangen, und als sie mit Gerdt allein im Zimmer war, sah sie nach und sagte, während sie sich verfärbte: »Sieh und lies!« Und er nahm nun selber das Buch und las und lachte vor sich hin, wie wenn er sich ihrer Niederlage freue. Denn seine hämische Natur kannte nichts Liebres als den Ärger andrer Leute, seine Frau nicht ausgenommen. Zwischen dieser aber und Greten unterblieb jedes Wort, und als der Fasching kam, den die Stadt diesmal ausnahmsweise prächtig mit Aufzügen und allerlei Mummenschanz feierte, schien der Zwischenfall vergessen. Und auch um Ostern, als sich alles zu dem herkömmlichen großen Kirchgang rüstete, hütete sich Trud wohl, nach dem Buche zu fragen. Wußte sie doch, daß es Gret unter dem Weißzeug ihrer Truhe versteckt hatte. Denn sie mocht es nicht sehen.

## ELFTES KAPITEL
### *Der Herr Kurfürst kommt*

Und nun war Hochsommerzeit (der längste Tag schon um vier Wochen vorüber), und die Bürger, wenn sie spätabends aus dem Rathauskeller heimgingen, versicherten einander, was übrigens niemand bestritt, »daß die Tage schon wieder kürzer würden«. Da kam an einem Mittewochen plötzlich die Nachricht in die Stadt, daß der allergnädigste Herr Kurfürst einzutreffen und einen Tag und eine Nacht auf seiner Burg Tangermünde zuzubringen gedenke. Das gab ein großes Aufsehen und noch mehr der Unruhe, weilen der Herr Kurfürst in eben jenen Tagen nicht bloß von seinem lutherischen Glauben zum reformierten übergetreten, sondern auch in Folge dieses Übertritts die Veranlassung zu großer Mißstimmung und der Gegenstand allerheftigster Angriffe von seiten der tangermündischen Hitzköpfe geworden war. Und nun kam er selbst, und während viele der nur zu begründeten Sorge lebten, um ihrer ungebührlichen und lästerlichen Rede willen zur Rechenschaft gezogen zu werden, waren andere, ihres Glaubens und Gewissens halber, in tiefer und ernster Bedrängnis. Unter ihnen Gigas. Und diese Bedrängnis wuchs noch, als ihm am Nachmittage vorerwähnten Mittewochens durch einen Herrn vom Hofe vermeldet wurde, daß Seine Kurfürstliche Durchlaucht um die siebente Morgenstunde zu Sankt Stephan vorzusprechen und daselbst eine Frühpredigt zu hören gedächten.

Wie dem hohen Herrn begegnen? Dem Abtrünnigen, der vielleicht alles in Stadt und Land zu Abfall und Untreue heranzwingen wollte! Und so mutig Gigas war, es kam ihm doch ein Bangen und eine Schwachheit an. Aber er betete sich durch, und als der andre Morgen da war, stieg er, ohne Menschenfurcht, die kleine Kanzeltreppe hinauf und predigte über das Wort des Heilands: »Gebet dem Kaiser, was des Kaisers, und Gott, was Gottes ist.« Und siehe da, die holzgeschnitzte Taube des Heiligen Geistes hatte nicht vergeblich über ihm geschwebt, und der Herr Kurfürst, nachdem er entblößten Hauptes und »mit absonderer Aufmerksamkeit« der Predigt gefolget war, hatte nach Schluß derselben ihm danken und ihn zu weiterer Besprechung auf seine Burg entbieten lassen. Und hier nun, wie die Chronisten melden, war Seine Kurfürstliche Durchlaucht dem festen und glaubenstreuen Manne nicht nur um einen Schritt oder zwei zu freundlicher Begrüßung entgegengegangen, sondern hatte demselben auch unter freiem Himmel, und in Gegenwart vieler Herren vom Adel, an Eides Statt zugesichert: »daß er seine von Gott ihm anbefohlenen Untertanen bei dem Worte Lutheri Augsburgischer Konfession belassen, eines jeden Person auch in der Freiheit seines Glaubens und Gewissens schützen wolle, in eben jener Freiheit, um derentwillen er für *seine* Person das Bekenntnis der beständig hadernden Lutherischen abgetan und den reformierten Glauben angenommen habe«.

Und als diese zu größerem Teile trostreiche Rede, über deren schmerzlichen Ausklang Gigas klug hinwegzuhören verstand, an Burgemeister und Rat überbracht worden war, waren Peter Guntz und die Ratmannen, dazu die Geistlichen und Rectores aller fünf Kirchen, auf der Burg erschienen, um, nach abgestattetem Dank und wiederholter Versicherung unverbrüchlicher Treue, den Herrn Kurfürsten um die Gunst anzugehen, ihm ein festlich Mahl herrichten zu dürfen. Aber in der Halle seiner *eigenen* Burg, dieweilen ihre Rathaushalle zu klein sei, um die reiche Zahl der Gäste zu fassen. Und alles war angenommen worden und hatte die Stadt um so mehr erfreut und beglückt, als bei gnädiger Entlassung der Sprecher, unter denen sich auch Gerdt in vorderster Reihe befunden, seitens Seiner Kurfürstlichen Durchlaucht der Hoffnung Ausdruck gegeben worden war, die sittigen und ehrbaren Frauen der Stadt auf seiner Burg mit erscheinen und an dem Festmahle teilnehmen zu sehn.

Und nun war dieses Mahl, unter freundlichem Beistand aller Dienerschaften des hohen Herrn, in kürzester Frist hergerichtet worden, und um die vierte Stunde bewegte sich der Zug der Geladenen, Männer und Frauen, die Lange Straße hinab, zur Burg hinauf. Die kleineren Bürgerfrauen aber, die von der Festlichkeit ausgeschlossen waren, sahen ihnen neidisch und spöttisch nach, und nicht zum wenigsten, als Trud und Emrentz an ihnen vorüberzogen. Denn beide waren absonderlich reich und prächtig gekleidet, in Ketten und hohen Krausen, und Emrentz, aller Julihitze zum Trotz, hatte sich ihr mit Hermelinpelz besetztes Mäntelchen nicht versagen können. Truds Kleid aber stand steif und feierlich um sie her und bewegte sich kaum, als sie, zur Rechten ihrer Muhme, die Straße hinunterschritt.

Und nun war alles oben, das Mahl begann, und die gotischen Fenster mit ihren kleinen, buntglasigen und vielhundertfältig in Blei gefaßten Scheibchen standen nach Fluß und Hof hin weit offen, und die Gäste, solang es drin ein Schweigen gab, hörten von den Zweigen des draußenstehenden Nußbaums her das Jubilieren der Vögel. Aber nicht immer schwieg es drinnen, Trinkspruch reihte sich an Trinkspruch, und wenn dann von der großen Empore herab, die zu Häupten des Kurfürsten aufragte, die Stadtpfeifer einfielen und die Paukenwirbel über den Fluß hin und bis weit hinaus in die Landschaft rollten, dann hielt der Fährmann sein Boot an, und die Koppelpferde horchten auf und sahen verwundert nach der sonst so stillen Burg hinüber.

## Zwölftes Kapitel
### *Am Wendenstein*

Um eben diese Zeit saß Grete daheim in der Hinterstube des ersten Stocks. Truds letztes Wort an sie war gewesen: »Hüte das Kind.« Und nun hütete sie's. Es lag in einer Wiege von Rosenholz, ein Schleiertuch über dem Köpfchen, und durch Tür und Fenster, die beide geöffnet waren, zog die Luft. Herabgelassene Vorhänge gaben Schatten, und nur ein paar Fliegen tanzten um den Thymianbusch, der an der Decke des Zimmers hing. Es regte sich nichts in dem weiten Hause.

Und doch war jemand eingetreten: Valtin. Er hatte die Haustür vorsichtig geöffnet, so daß die Glocke keinen Ton gegeben, und sah sich nun auf dem halb im Dämmer liegenden Flure neugierig um. Es war alles wie sonst: an dem vordersten Querbalken saßen die zwei Schwalbennester, und in den Nischen standen die Schränke, erst die von Nußbaum, dann die von Kienenholz, bis dicht an die Hoftür hin. Die Hoftür selbst aber stand auf; ein breiter Lichtstreifen fiel ein, und auf dem sonnenbeschienenen Hofe saßen die Tauben und spielten im Sand oder schritten gurrend, und dabei stolz und zierlich ihre Köpfe drehend, an dem noch stolzeren Pfau vorüber. Und dahinter war das von Wein überwachsene Gitter, von dem aus die sechs Treppenstufen niederführten, und durch die offenen Stellen des Laubes hindurch sah man die Malvenkronen und die Strauchspitzen des tiefer gelegenen Gartens. Alles märchenhaft und wie verwunschen, und leiser noch, als er in das Haus eingetreten war, stieg er jetzt die Stiege hinauf, bis er an der Schwelle der Hinterstube hielt. Es schien, daß Grete schlief, und einen Augenblick war er in Zweifel, ob er bleiben oder wieder gehen solle. Aber zuletzt rief er ihren Namen, und sie sah lächelnd auf. »Komm nur«, sagte sie, »ich schlafe nicht. Ich hüte ja das Kind. Willst du's sehen?«

»Nein«, sagte er, »laß es. Sehen wir's an, so wecken wir's, und ist es wach, so schreit es. Und es soll nicht wach sein, und noch weniger soll es schreien, denn ich will dich abholen. Alle Welt ist draußen auf der Burg, und du bist hier allein, als wärst du die Magd im Haus oder die Kindermuhme. Komm, es sieht uns niemand. Wir gehen an den Gärten hin, und die Stadtmauer gibt uns Schatten. Und sind wir erst oben, da tun wir, als fänden wir uns. Sieh, ich bin so neugierig. Und du bist es auch, nicht wahr? Er ist ja doch eigentlich unser Landesherr. Und am End ist es ein Unrecht, ihn nicht gesehen zu haben, wenn man ihn sehen *kann*. Ich glaube, wir *müssen* ihn sehen, Grete. Was meinst du?«

Grete lachte. »Wie gut du die Worte stellen kannst. Sonst heißt es immer, Eva sei schuld; aber heute nicht. *Du* beredst mich, und ich soll tun, was sie mir verboten.«

»Ach, wer?«

»Nun, du weißt es ja; Trud. Und da sitz ich nun hier und gehorche. Und dann ist das Kleine …«

»Laß nur. Es schläft ja. Und Regine hütet es so gut wie du. Komm, und eh das Fest aus ist, sind wir wieder da. Und du setzest dich an deinen alten Platz, und niemand weiß es. Und die schlafenden Kinder haben ihren Engel.«

»Nun gut, ich komm.« Und dabei rief sie nach der Regine, die neben dem Küchenherde saß, und ehe noch der Pfau draußen auf dem Hofe gekreischt und sein Rad geschlagen hatte, was er, wenn er Greten sah, immer zu tun pflegte, waren sie schon an ihm vorbei und zur Gartenpforte hinaus und gingen im Schatten der Stadtmauer, ganz wie Valtin es gewollt hatte, bis an das Wassertor und dann über die Tangerwiesen auf die Vorstadt zu. Niemand begegnete ihnen hier; alles war wie ausgestorben; und erst als sie die »Freiheit« passiert und den äußeren Burghof erreicht hatten, sahen sie, daß hier die kleinen Leute samt ihrem Gesinde zu vielen Hunderten standen und den Raum bis an die Zugbrücke hin so völlig füllten, daß an ein Hineinkommen in den inneren Burghof gar nicht zu denken war.

Und so schlug denn Valtin vor, wieder hügelabwärts zu steigen und drüben auf den Elbwiesen einen Spaziergang zu machen. Grete war es zufrieden, und erst als sie den Fährmann angerufen und den Fluß gekreuzt hatten, wandten sie sich wieder, um nun unbehindert auf die goldig im Scheine der Spätnachmittagssonne daliegende Burg zurückzusehen und in die von drüben her herüberklingenden Lebehochs miteinzustimmen.

Aber bald waren sie's müd, und sie gingen tiefer in die hoch in Gras stehende, mit Ranunkeln und rotem Ampfer übersäte Wiese hinein, bis sie zuletzt an einen niedrigen, mit Werft und Weiden besetzten Erdwall kamen, der sich quer durch die weite Wiesenlandschaft zog. Auf der Höhe dieses Walles lag ein Feldstein von absonderlicher Form und so dicht mit Flechten überwachsen, daß sich ein paar halbverwitterte Schriftzeichen daran nur mühsam erkennen ließen. Und auf diesen Feldstein setzten sie sich.

»Was bedeutet der Stein?« fragte Grete.

»Ich weiß es nicht. Vielleicht ein Wendengrab.«

»Wie denn?«

»Weißt du denn nicht? Dies ist ja das Feld, wo die große Tangerschlacht war. Heiden und Christen. Und die Heiden siegten. Und zu beiden Seiten des Erdwalls, auf dem wir hier sitzen, *vor* uns bis dicht an den Wald und *hinter* uns bis dicht an den Fluß, liegen sie zu vielen Tausenden.«

»Ich glaub es nicht. Und wenn auch, ich mag nicht davon hören. Auch nicht, wenn die Christen gesiegt hätten … Aber sieh, wie schön.« Und dabei zeigte sie mit der Hand auf die vor ihnen ausgebreitete Landschaft, die sie jetzt erst, von dem hochgelegenen Stein aus, mit ihrem Blick umfassen konnten. Es war dasselbe Bild, das sie letzten Herbst schon von der Burg und dem Gemäuer aus vor Augen gehabt hatten, nur die Dörfer, die damals mit nichts andrem als ihren Kirchturmspitzen aus dem Schattenstriche des Waldes hervorgeblickt, lagen heute klar und deutlich vor ihnen, und die Strohdächer mit ihren Storchennestern ließen sich überall erkennen.

»Weißt du, wie die Dörfer heißen?« fragte Grete.

»Gewiß weiß ich's. Das hier rechts ist *Buch*, wo der Herr von Buch lebte, der einen Schatz in unsrer Tangermünder Kirche viele Jahre lang verborgen hielt, um ihn zuletzt als Lösegeld für seinen Herrn Markgrafen zu zahlen. Denn die Magdeburger hatten ihn gefangengenommen. Und er hieß Markgraf Otto. Otto mit dem Pfeil. Ein schöner Herr und sehr ritterlich und war ein Dichter und liebte die Frauen. Weißt du davon?«

»Nein ... Aber hier das Dorf mit dem blanken Wetterhahn?«

»Das ist *Fischbeck*.«

»Ach, das kenn ich. Da wohnt ja der alte Pfarr... aber nun hab ich seinen Namen vergessen. Oh, von *dem* weiß ich. Der war eines Fischbecker Bauern Sohn und sollte seines Vaters Pferde hüten. Aber er wollt es nicht und lief ihm fort, denn er wußt es bestimmt in seinem Herzen, daß er ein Geistlicher und ein frommer Mann werden müsse. Und er wurd es auch, und nun hütet er am selben Ort sein Amt und seine Gemeinde. Und sein Vater hat es noch erlebt.«

»Aber Grete, woher weißt du nur das alles? Die Geschichte von der großen Tangerschlacht und von dem Tangermünder Schatze, die weißt du *nicht*, und die von dem Fischbecker Pastor weißt du so genau!«

Grete lachte. »Und weißt du, wie lang ich sie weiß? Seit gestern. Und weißt du von wem? Von Gigas.«

»Das mußt du mir erzählen.«

»Freilich. Das will ich auch. Aber da muß ich weit ausholen.«

»Tu's nur. Wir haben ja Zeit.«

»Nun sieh, Valtin, du weißt, ich bin immer weit fort; weit fort in meinen Gedanken. Und du weißt auch, um deshalb halt ich's aus. Und immer abends, wenn ich mit der Regine bin, les ich von Kindern oder schönen Prinzessinnen, die vor einem bösen König oder einer bösen Königin geflohen sind, und es gibt viele solche Geschichten, und nicht bloß in Märchenbüchern, viel, viel mehr, als du dir denken kannst, und mitunter ist es mir, als wären alle Menschen irgendeinmal ihrem Elend entlaufen.«

Valtin schüttelte den Kopf.

»Du schüttelst den Kopf. Und sieh, das tu ich auch. Oder doch von Zeit zu Zeit. Und so war es auch gestern, denn ich hatte wieder einen Traum gehabt, wieder von Flucht, und es war, als flög ich, und mir war im Fliegen so wohl und so leicht. Aber als ich aufwachte, war ich bedrückt und unruhig in meinem Gemüt. Und da dacht ich, das soll ein Ende haben: du wirst Gigas fragen, der soll dir sagen, ob es etwas Böses ist, zu fliehen. Und so ging ich zu ihm, gestern um die Mittagsstunde, trotzdem ich wohl gehört hatte, daß er selber in Sorg und Unruh sei.«

»Und wie fandest du ihn?«

»Ich fand ihn in seinem Garten zwischen den Beeten, und wir gingen auf und ab, wie er's gern tut, und sprachen vielerlei, und zuletzt auch von unserm Herrn Kurfürsten, der, wie wir ja schon wußten, eine Nacht und einen Tag auf seiner Tangermünder Burg zu verbleiben gedenke. Und als ich sah, daß er sich in seinem Gewissen sorgte, gerade so, wie sich's Trud und Gerdt, als sie von ihm sprachen, in unsrem Hause schon zugeflüstert hatten, da faßt ich mir ein Herz und fragt ihn: was er wohl mein'. Ob Flucht allemalen ein bös und unrecht Ding sei. Oder ob es nicht auch ein rechtmäßig und zuständig Beginnen sein könne.«

»Und was antwortete er dir?«

»Er schwieg eine ganze Weile. Als wir aber an die Bank kamen, die zu Ende des Mittelganges steht, sagte er: ›Setz dich, Gret. Und nun sage mir, wie kommst du zu solcher Frag?‹ Aber ich gab ihm keine Antwort und wiederholte nur alles und sah ihn fest dabei an. Und all das konnt ich, ohne mich ihm zu verraten, denn ich hatte wohl bemerkt, daß er an nichts als an den gnädigen und gestrengen Herrn

Kurfürsten dachte, der genferisch geworden, und daß er immer nur alles Fährliche vor Augen sah, was ihm selber noch bevorstehen könne. Und endlich nahm er meine Hand und sagte: ›Ja, Grete, das ist eine schwere Frag, und ich denke, wir müssen zum ersten allemal beten, daß wir nicht in Versuchung fallen, und zum zweiten, daß uns die Gnade Gottes überall, wo wir zweifelhaft und unsicher in unsrem Gemüte sind, den rechten Weg finden lasse. Denn die richtigen Wege sind oft wechselvolle Wege, und wenn es heut unsre Pflicht ist, zu gehorchen und auszuharren, so kann es morgen unsre Pflicht sein, *nicht* zu gehorchen und uns durch Flucht einem schlimmen Ansinnen zu entziehn. Aber eines gilt heut und immerdar: wir müssen in unsrem Tun, ob wir nun fliehen oder ausharren, einem höheren Rufe Folge leisten.‹ Und nun erzählte er mir von dem Fischbeckschen Pastor und seiner Flucht.«

»Aber er muß dir doch noch mehr erzählt haben?«

»Nein. Vielleicht daß er's getan, aber der alte Peter Guntz kam und unterbrach uns. Und ich wußte ja nun auch, was ich wissen wollt und daß auch eine Flucht das Rechte sein könne. Und als ich heimging, zählt ich mir her, wer alles geflohen sei. Joseph und Maria floh. Und auch Petrus floh aus seinem Gefängnis.«

»Aber ein Engel des Herrn führte sie«, sagte Valtin. »Und sie flohen um Gott und Glaubens willen.«

Es schien, daß diese Worte Greten ins Gewissen trafen, denn sie schwieg. Endlich aber sagte sie: »Ja, um Gott und Glaubens willen. Aber auch um Lebens und Rechtes willen. Ich mag kein *Unrecht* sehen und auch keines leiden.«

»Du weißt aber, daß wir Geduld üben und unsere Feinde lieben sollen.«

»Ja, ich weiß es; aber ich kann es nicht.«

»Weil du nicht willst.«

»Nein, ich will es nicht.«

Und als sie soweit gesprochen, wandten sie sich wieder und sahen, daß der Sonnenball unter war und die Burgtürme bereits im Abendrote glühten. »Es ist Zeit, daß wir heimgehen«, sagte Valtin, »oder wir verpassen's, und Trud ist eher zu Haus als wir.«

»Laß sie«, sagte Grete leicht. »Ich mag nicht mehr nach Haus. Mir ist, als wäre dies mein letzter Tag und als müßt ich fort. Heute noch. Gleich. Willst du?«

Valtin sah sie bang und fragend an.

»Du willst nicht? Sag's nur. Du fürchtest dich.«

»Ich will, Grete. Ganz gewiß, ich will. Aber ich muß es einsehen, daß es nicht anders geht. Und hab ich dir's anders versprochen, damals auf der Burg, als die Mädchen sangen und die Sommerfäden zogen, so darfst du mich nicht beim Worte nehmen. Es war ein Unrecht.«

Sie warf den Kopf, aber sagte nichts und nahm seinen Arm. Und so schritten sie wieder auf die Fähre zu. Die Sterne waren bald herauf und spiegelten sich in dem stillen Strom, während Mückenschwärme wie Rauchsäulen über ihnen standen. Oben auf der Burg schimmerten noch die Lichter, sonst aber war alles still, und nur aus weiter Ferne her hörte man noch ein Singen, das mehr und mehr verklang. Es waren die kleinen Leute, die, samt ihrem Gesinde, vom Außenhofe her wieder in die Stadt zogen. Und dazu klatschten eintönig die Ruderschläge des Fährboots, und nun lief es auf, und Valtin und Grete sprangen ans Ufer.

Die Stadt gedachten sie soweit wie möglich zu meiden und nahmen ihren Weg an den Tangerwiesen hin, über die jetzt, mit ihnen zugleich, feuchte, weiße Nebel zogen. Die hohen Nachtkerzen ragten mit ihren Spitzen über die Nebelstreifen fort und mischten ihren Duft mit dem Dufte des Heues, das frisch gemäht zu beiden Seiten des Weges lag. Sie sprachen nicht, und Valtin suchte nur den Fledermäusen zu wehren, die, von dem alten Kirchengemäuer her, neben und über ihnen flatterten. So kamen sie bis an das Wassertor und bogen in denselben Zirkelgang ein, auf dem sie gekommen waren, immer zwischen den Gärten und der Stadtmauer hin. Und nun hielten sie vor der Mindeschen Gartenpforte.

»Gute Nacht, Valtin«, sagte Grete ruhig und beinah gleichgültig. Als dieser aber ging, ohne sich umzusehen, rief sie noch einmal seinen Namen. Und er wandte sich wieder und lief auf sie zu. Und sie umarmten sich und küßten sich. »Vergiß, Valtin, was ich gesagt hab. Ich weiß, daß du dich nicht fürchtest. Denn du liebst mich. Und die sich lieben, die fürchten sich nicht. Und nun noch eines. Komm in einer halben Stund in den Garten, in euren, und wart auf mich. Mir ist so wunderlich, und ich muß dich noch sehen. Denn sieh, ich weiß es, es geschieht etwas; ich fühl es ganz deutlich *hier.*« Und dabei legte sie die Hand aufs Herz und zitterte.

Und er versprach es, und sie trennten sich.

## DREIZEHNTES KAPITEL
### *Flucht*

Die Pforte war nur angelehnt, und schon vom Garten aus ließ sich's erkennen, daß Trud inzwischen ins Haus zurückgekehrt sein müsse. Die Fenstervorhänge hingen noch herab, und das rasch wechselnde Schattenspiel zeigte deutlich, daß ein Licht dahinter hin und her getragen wurde. Grete stieg nun die Stufen hinauf, die von dem Garten in den Hof führten, drückte das Gitter ins Schloß und fühlte sich, über Flur und Treppe hin, bis an das Hinterzimmer des oberen Stocks. Die Türe stand noch offen, wohl der Schwüle halber, und Grete sah hinein. *Was* sie sah, war nur das Erwartete. Die Wiegendecke lag zurückgeschlagen, und Trud, in allem Putz und Staat, den sie bei der Festlichkeit getragen, mühte sich in gebückter Stellung um das Kind, das still dalag und nur dann und wann in Krämpfen zusammenzuckte. Ihre hohe Krause war zerdrückt, ihr Haar halb herabgefallen; ihren silbernen Hakengürtel aber, der ihr beim Aufnehmen und Niederlegen des Kindes hinderlich gewesen sein mochte, hatte sie von sich getan und über das Fußbrettchen der Wiege gehängt. Und jetzt richtete sie sich auf und sah Greten vor sich stehen.

»Ei, Grete. Schon da!« sagte sie bitter, aber ersichtlich noch mit ihrer inneren Erregung kämpfend. »Wo warst du?«

»Fort.«

»Fort? Und ich hatt es dir doch verboten.«

»Verboten?«

»Ja! Und nun sieh das Kind. Ein Wunder Gottes, wenn es uns am Leben bleibt. Und wenn es stirbt, so bist *du* schuld.«

»Das darfst du nicht sagen, Trud«, antwortete Grete ruhig, während es um ihren Mund zuckte. »Schilt mich. Schilt mich, daß ich ging, das darfst du, das magst du tun. Aber du darfst mich nicht schelten um des Kindes willen. An dem Kind ist nichts versäumt. Ich ließ es bei Reginen, und Regine, was sag ich, ist dreißig Jahr im Haus. Und war Kindermuhme bei Gerdt, und dann war sie's bei mir und hat mich großgezogen.«

»Ja, das hat sie. Aber wozu? *Du* weißt es, und *ich* weiß es auch. Und die *Stadt* wird es bald genug erfahren … Armes Ding du! Aber 's ist Erbschaft.«

»Sage nicht *das*, Trud. Nichts von *ihr*. Ich will davon nicht hören.«

»Aber du *sollst* es. Undankbare Kreatur!«

Grete lachte.

»Lach nur, Bettelkind! Denn das bist du. Nichts weiter. Eine fahrende Frau war sie, und keiner weiß, woher sie kam. Aber jetzt kennen wir sie, denn wir kennen *dich*. Eine fremde Brut seid ihr, und der Teufel sieht euch aus euren schwarzen Augen.«

»Das lügst du.«

Trud aber, ihrer Sinne nicht mehr mächtig, erhob ihre Hand und schlug nach ihr.

Grete war einen Schritt zurückgetreten, und es flimmerte ihr vor den Augen. Dann, ohne zu wissen, was sie tat, griff sie nach dem über der Wiege hängenden Gürtel und schleuderte ihn der verhaßten Schwieger ins Gesicht. Diese, vor Schmerz aufschreiend, wankte und hielt sich mühsam an einem hinter ihr stehenden Tischchen, und Grete sah nun, daß die scharfen Ecken des langen silbernen Gehänges Truds Stirn oder Schläfe schwer verletzt haben mußten, denn ein Blutstreifen rann über ihre linke Wange. Aber sie schrak vor diesem Anblick nicht zurück und hatte nichts als das doppelt selige Gefühl ihres befriedigten Hasses und ihrer errungenen Freiheit. Ja, Freiheit! Sie war dieses Haus nun los. Denn das stand fest in ihrer Seele, daß sie nicht länger bleiben könne. Fort. Gleich. Und sie flog die Treppe hinab und über Flur und Hof in den Garten.

Da wuchsen wieder die Himbeerbüsche wie damals, wo sie hier mit Valtin zwischen dem hohen Gezweig gestanden und über den Hänfling und sein Nest geplaudert hatte; aber ihre verwilderte Seele dachte jener Stunden stillen Glückes *nicht* mehr. Sie kletterte nur rasch hinauf und horchte gespannt, ob Valtin schon da sei. Er war es noch nicht. Und so sprang sie vom Zaun in den Zernitzschen Garten hinunter und versteckte sich in der Laube.

Denn daß er kommen würde, das wußte sie.

Eine Viertelstunde war vergangen, als Grete Schritte vom Hofe her hörte. Er war es, und sie lief ihm entgegen. »Valtin, mein einziger Valtin. Ach, daß du nun da bist! Es ist gekommen, wie's kommen mußte.« Und nun erzählte sie, was geschehen. »Ich wußt es. Alles, alles. Und ich muß nun fort. Diese Nacht noch. Willst du, Valtin?«

Sie waren, während Grete diese Worte sprach, vorsichtshalber, um nicht gesehen zu werden, von dem Mittelsteige her auf die Schattenseite des Gartens getreten, und Valtin sagte nur: »Ja, Gret, ich will. Was es wird, ich weiß es nicht. Aber ich sehe nun, du mußt fort. Und das hab ich mir geschworen, so ich's nur einseh, daß du fort mußt, so will ich's auch und will mit dir. Und dann sieh, ich bin ja doch eigentlich schuld. Denn du wolltest nicht weg von dem Kind, und ich hab dich überredet und dich trotzig gemacht und dich gefragt, wer dir's denn verbieten wolle.«

»Sage nicht nein«, fuhr er fort, als er sah, daß sie den Kopf schüttelte. »Es ist so. Und am Ende, was tut's? Du oder ich, es ist all eins, wer die Schuld hat. Es mußte zuletzt doch so kommen, für dich und für mich. Auch für mich. Glaub es nur. Emrentz ist nicht wie Trud, und wir leben jetzt eigentlich gut miteinander. Aber auf wie lang? Es ist ein halber Frieden, und der Krieg steht immer vor der Tür. Eine Stief ist eine Stief, dabei bleibt's. Und soviel sie lacht, sie hat doch kein Herz für mich, und wo das Herz fehlt, da fehlt das Beste.«

»So willst du?«

»Ja, Grete.«

»So laß uns gehen. In einer Stunde schon. Um elf wart ich draußen ... Und nun eile dich; denn mir brennt der Boden unter den Füßen.«

Und damit trennten sie sich.

Als Grete gleich darauf wieder drüben in ihrem eigenen Garten war, huschte sie den Zaun entlang und an dem Weinspalier vorbei bis auf den Hof. Hier aber befiel es sie plötzlich, daß sie, beim Eintreten in das Haus, vielleicht ihrem Bruder Gerdt begegnen könne, der, wenn gereizt, nach Art schwacher und abgespannter Naturen, alle Müdigkeit abtun und in Wutausbrüche geraten konnte. Wenn er ihr jetzt in den Weg trat? wenn er sie mißhandelte? Sie zitterte bei dem Gedanken und schlich so geräuschlos wie möglich die Treppe hinauf. Als sie bei der nur angelehnten Türe des Hinterzimmers vorüberkam, hörte sie, daß Trud und Gerdt miteinander sprachen.

»Sie muß aus dem Haus«, sagte Trud, »ich mag die Hexe nicht länger um mich haben.«

»Aber wohin mit ihr?« fragte Gerdt.

»Das findet sich; wo ein Will ist, ist auch ein Weg – sagt das Sprüchwort. Ich hab an die Nonnen von Arendsee gedacht, das ist nicht zu nah und nicht zu weit. Und da gehört sie hin. Denn sie hat ein katholisch Herz, trotz Gigas, und immer, wenn sie mit mir spricht, so sucht sie nach dem Kapselchen mit dem Splitter und hält es mit ihren beiden Händen fest. Und schweigt sie dann, so bewegen sich ihre Lippen, und ich wollte schwören, daß sie zur Heiligen Jungfrau betet.«

Mehr konnte sie nicht erlauschen, denn das Kind, das bis dahin ruhig gelegen, begann wieder zu greinen, und Grete benutzte den Moment und fühlte sich vorsichtig weiter bis an das zweite Treppengeländer und in ihre Giebelstube hinauf.

Der Mond schien auf die Dächer gegenüber, und sein zurückfallender Schein gab gerade Licht genug, um alles deutlich erkennen zu lassen. Die Tür zu der Kammer nebenan stand offen, und Regine saß eingeschlafen am Fußende des Bettes. »'s ist gut so«, sagte Grete und öffnete Schrank und Truhe, nahm heraus, was ihr gut dünkte, band ein schwarzes Seidentuch um ihren Kopf und verbarg unter ihrem Mieder ein kleines Perlenhalsband, das ihr, an ihrem Einsegnungstage, vom alten Jacob Minde geschenkt worden war. Anderes hatte sie nicht. Und nun war sie fertig und hielt ihr Bündel in Händen. Aber sie konnte noch nicht fort. Nicht so. Und an der Schwelle der Kammertür kniete sie nieder und rief Gott um seinen Beistand an, auch um seine Verzeihung, wenn es ein Unrecht sei, was sie vorhabe. Und heiße Tränen begleiteten ihr Gebet. Dann erhob sie sich und küßte Reginen, die schlaftrunken auffuhr und den Namen ihres Lieblings nannte; aber ehe sie den Schlaf völlig abschütteln und sich wieder zurechtfinden konnte, war Grete fort und glitt, mit ihrer Rechten sich aufstützend, die steilen Stufen der Oberstiege hinunter. Und nun horchte sie wieder. Das Kind wimmerte noch leis, und die Wiege ging in heftiger Schaukelbewegung, während Trud, über das Kind gebeugt, rasch und ungeduldig ihre Wiegenlieder summte; Gerdt schwieg. Vielleicht, daß er schon schlief.

Und im nächsten Augenblicke war sie treppab, über Hof und Garten, und hielt draußen an der Pforte.

Valtin wartete schon. Er hatte sich zu dem Joppenrock,

den er gewöhnlich trug, auch noch in eine dicke Friesjacke gekleidet, und in dem wuchernden Grase vor ihm lag eine schmale, hohe Leiter, wie man sie um die Kirschenzeit von außen her an die Bäume zu legen pflegt. Grete trat auf ihn zu und gab ihm die Hand. Der breite Schatten, der auf das Gras fiel, hinderte sie, die Leiter zu sehen, desto deutlicher aber sah sie seine winterliche Einkleidung. Und sie lachte. Denn der Sinn für das Komische war ihr geblieben. Und Valtin lachte gutmütig mit und sagte: »'s ist für *dich*, Grete, wenn du frierst. Die Nacht ist kalt, auch eine Sommernacht.« Und derweilen schlug es elf, und die Glockenschläge mahnten sie wieder an das, was sie vorhatten. Valtin legte die Leiter an die Mauer, und Grete stieg hinauf. Und im nächsten Augenblicke war er selber oben und zog die Leiter nach und stellte sie nach außen. Und nun waren sie frei. Sie sahen sich an und atmeten auf, und der Zauber des um sie her liegenden Bildes ließ sie minutenlang ihres Leids und ihrer Gefahr vergessen. Die Nebel waren fortgezogen, silbergrüne Wiesen dehnten sich hüben und drüben, und dazwischen flimmerte der Strom, über den der Mond eben seine Lichtbrücke baute. Nichts hörbar als das Gemurmel des Wassers und die Glocken, die von einigen Stadtkirchen her verspätet nachschlugen.

Beide hatten sich angefaßt und eilten raschen Schrittes auf den Fluß zu.

»Willst du hinüber?« fragte Grete.

»Nein, ich will nur einen Kahn losmachen. Sie glauben dann, wir seien drüben.«

Und als sie bald danach den losgebundenen Kahn inmitten des Stromes treiben sahen, hielten sie sich wieder seitwärts, über die tauglitzernden Tangerwiesen hin, bogen in weitem Zirkel um den Burghügel herum und mündeten endlich auf einen Feldweg ein, der, hart neben der großen Straße hin, auf den Lorenzwald zuführte.

Als sie seinen Rand beinah erreicht hatten, sagte Grete: »Ich fürchte mich.«

»Vor dem Wald?«

»Nein. Vor dir.«

Valtin lachte. »Ja, das ist nun zu spät, Grete. Du mußt es nun nehmen, wie's fällt. Und wenn ich dir deinen kleinen Finger abschneide oder dich totdrücke vor Haß oder Liebe, du mußt es nun leiden.«

Er wollt ihr zärtlich das Haar streicheln, soweit es aus dem schwarzen Kopftuche hervorsah, aber sie machte sich los von ihm und sagte: »Laß. Ich weiß nicht, was es ist, aber solange wir in dem Wald sind, Valtin, darfst du mich nicht zärtlich ansehen und mich nicht küssen. Unter den Sternen hier, da sieht uns Gott, aber in dem Walde drin ist alles Nacht und Finsternis. Und die Finsternis ist das Böse. Ich weiß es wohl, daß es kindisch ist, denn wir gehören ja nun zusammen in Leben und in Sterben, aber ich fühl es so, wie ich dir's sag, und du mußt mir zu Willen sein. Versprich es.«

»Ich versprech es. Alles, was du willst.«

»Und hältst es auch?«

»Und halt es auch.«

Und nun nahm sie wieder seine Hand, und sie schlugen den Weg ein, der sie bis an die große Waldwiese führte. Hier war es taghell fast, und sie zeigten einander die Stelle, wo der Maibaum damals gestanden und wo sie selber, am Schattenrande der Lichtung hin, auf den umgestülpten Körben gesessen und dem Taubenschießen und dem Tanz um die Linde her zugesehen hatten. Und dann gingen sie weiter waldeinwärts, immer einen breiten Fußpfad haltend, der sich nur mitunter im Gestrüpp zu verlieren schien.

Sie sprachen wenig. Endlich sagte Grete: »Wohin gehen wir?«

»Ins Lüneburgsche, denk ich. Und dann weiter auf Lübeck zu. Da hab ich Anhang.«

»Und weißt du den Weg?«

»Nein, Grete, den Weg nicht, aber die Richtung. Immer stromabwärts. Es kann nicht weiter sein als fünf Stunden;

dann haben wir die Grenze, die bei Neumühlen läuft. Und die tangermündschen Stadtreiter, auch wenn sie hinter uns her sind, haben das Nachsehen.«

»Glaubst du, daß sie sich eilen werden, uns wieder zurückzuholen?«

»Vielleicht.«

»Ja. Aber auch nichts weiter. Sie werden uns ziehen lassen und froh sein, daß wir fort sind. Und wenn dein Vater es anders will, so wird's ihm Emrentz ausreden. Und wenn nicht Emrentz, so doch Trud.« Und nun erzählte sie das Gespräch zwischen Trud und Gerdt, das sie von der nur angelehnten Türe des Hinterzimmers aus belauscht hatte.

So mochten sie zwei Stunden gegangen sein, und der Mond war eben unter, als Grete leise vor sich hin sagte: »Laß uns niedersitzen, Valtin. Meine Füße tragen mich nicht mehr.« Und es war alles wie damals, wo sie sich als Kinder im Walde verirrt hatten. Er aber bat sie, brav auszuhalten, bis sie wieder an eine hellere Stelle kämen. Und siehe, jetzt war es wirklich, als ob sich der Wald zu lichten begänne, die Stämme standen in größeren Zwischenräumen, und Valtin sagte: »Hier, Grete, hier wollen wir ruhn.« Und todmüde, wie sie war, warf sie sich nieder und streckte sich ins Moos. Und schon im nächsten Augenblicke schlossen sich ihre Wimpern. Er schob ihr ihr Reisebündel als Kissen unter und deckte sie leise mit seiner Winterjacke zu, von der er sich selber nur ein Zipfelchen gönnte.

Und dann schlief er an ihrer Seite ein.

## Vierzehntes Kapitel

### *Auf dem Floß*

Als sie wieder erwachten, lag alles um sie her in hellem Sonnenschein. Sie hatten dicht am Rande des großen Lorenzwaldes geschlafen, der hier mit einer vorspringenden

Ecke bis hart an den Strom trat, und der rote Fingerhut stand in hohen Stauden um sie her. Ein paar seiner Blüten hatte der Morgenwind auf Greten herabgeschüttelt, und diese nahm eine derselben und sagte: »Was bedeutet es mir? Es ist eine Märchenblume.«

»Ja; das ist es. Und es bedeutet dir, daß du eine verwunschene Prinzessin oder eine Hexe bist.«

»Das darfst du nicht sagen.«

»Und warum nicht?«

»Weil es Trud immer gesagt hat ... Aber weißt du, Valtin, daß ich Hunger habe?«

Und damit erhoben sie sich von ihrer Lagerstatt und gingen plaudernd immer am Wasser hin, bis sie weiter flußabwärts, wo der Waldvorsprung wieder einbog, an ein Fähr- oder Forsthaus kamen. Oder vielleicht auch war es beides. Anfangs wollten sie gemeinschaftlich eintreten, aber Valtin besann sich eines andern und sagte: »Nein, bleib; es ist besser, ich geh allein.« Und eine kleine Weile, so kam er mit Brot und Milch zurück und hielt, als er Gretens ansichtig wurde, die Hände schon von weitem in die Höh, um zu zeigen, was er bringe, und sie setzten sich ins hohe Gras, den Fluß zu Füßen und den Morgenhimmel über sich. »Wenn es uns immer so schmeckt ...«, sagte Valtin. Und Grete sah ihn freundlich an und nickte.

Als sie so saßen und mehr träumten als sprachen, bemerkten sie, daß mitten auf dem Strom ein großes Floß geschwommen kam, lange zusammengebolzte Stämme, auf denen sich vier Personen deutlich erkennen ließen: drei Männer und eine Frau. Zwei von den Männern standen vorn an der Spitze des Floßes, während der dritte, der seinen raschen und kräftigen Bewegungen nach der jüngste zu sein schien, das ungefüge Steuer führte. »Was meinst du«, sagte Valtin, »wenn wir mitführen? Du bist müde vom Gehen. Und mitten auf dem Strom, da sucht uns niemand.«

Grete schien zu schwanken; Valtin aber setzte hinzu: »Laß es uns versuchen; ich ruf hinüber, und halten sie still und machen ein Boot los, nun, so nehmen wir's als ein

Zeichen, daß es sein soll.« Und er sprang auf und rief: »Hoiho«, ein Mal über das andere.

Die Flößer verrieten anfänglich wenig Lust, auf diese Zurufe zu achten, als Valtin aber nicht abließ, machte der am Steuer Stehende den Kahn los, der hinter dem Floße herschwamm, und war im nächsten Augenblicke mit ein paar Ruderschlägen am diesseitigen Ufer.

»Hoiho! Was Hoiho?«

Valtin hörte nun wohl, daß es Wenden oder Böhmen waren, die bis Hamburg wollten, und trug sein Anliegen vor, so gut es ging. Der Böhmake verstand endlich und bedung sich einen Lohn aus, der so gering war, daß ihn Valtin gleich als Angeld zahlte.

Und nun fuhren sie nach dem Floß hinüber.

Als sie neben demselben anlegten, fanden sich auch die beiden andern Männer ein, zu denen nun der Jüngere sprach und ihnen das Geldstück überreichte. Sie schienen's zufrieden, und der älteste, schon ein Mann über fünfzig, und allem Anscheine nach der Führer, lüpfte seine viereckige, mit Pelz besetzte Mütze und bot Greten und gleich darauf auch Valtin seine Hand, um ihnen beim Hinaufsteigen auf das Floß behülflich zu sein. Es war ziemlich an der Hinterseite, nicht weit von dem großen Drehbalken, der als Steuer diente, und unsere beiden Flüchtlinge nahmen in Nähe desselben Platz. Alles gefiel ihnen, und Grete freute sich, daß Valtin den Mut gehabt und die Flößer angerufen hatte; am besten aber gefiel ihnen der Mann am Steuer, der lebhaft und lustig war und sich beflissen zeigte, sie zu zerstreuen und ihnen den Aufenthalt angenehm zu machen. Er plauderte mit ihnen, so gut es ein paar Wörter zuließen, und war erfinderisch in immer neuen Aufmerksamkeiten.

Als die Sonne schon ziemlich hoch stand, sah er, daß die vom Wasser zurückgeworfenen Strahlen die jungen Leute blendeten, und kaum daß er es wahrgenommen, als er auch schon das Steuer in Valtins Hand legte und sich daranmachte, mit Benutzung umherliegender Bretter, aus einem großen Stück Segelleinwand ein Zelt für seine Schutzbefohlenen aufzurichten. Sie setzten sich unter das Dach und genossen nun erst der eigentümlichen Schönheit ihrer Fahrt. Am Ufer hin stand das hohe Schilf, und wenn dann das Floß den grünen Schilfgürtel streifte, flogen die Wasservögel in ganzen Völkern auf und fielen plätschernd und schreiend an weiter flußabwärts gelegenen Stellen wieder ein. Der Himmel wölbte sich immer blauer, und ein Mittagswind, der sich aufgemacht hatte, strich frisch an ihnen vorüber und kühlte die Tageshitze. Vorne, durch die ganze Länge des Floßes von ihnen getrennt, standen nach wie vor die beiden älteren Männer und angelten, ihre Haltung aber zeigte nur zu deutlich, daß sie mit dem Ertrag ihres Fanges wenig zufrieden waren. Waren es doch immer nur kleine Fische, die, sooft sie die Schnur zogen, in der Sonne hell aufblitzten. Jetzt aber gab es einen Freudenschrei, und ein Breitfisch, so groß und schwer, daß die Schnur am Reißen war, flog mit einem Ruck an Bord. Das war es, worauf sie gewartet hatten, und sie schütteten nun die neben ihnen stehende Kufe mitsamt ihrem Inhalt wieder aus, füllten sie frisch mit Wasser und trugen ihren großen Fang wie im Triumph auf die Mitte des Floßes, wo schon seit einiger Zeit ein hell aufwirbelnder Küchenrauch die Vorbereitungen zu einer Mahlzeit anzudeuten schien. Und in der Tat hantierte hier emsig und lärmend ein junges Frauenzimmer umher, das mit seinen stechenden, kohlschwarzen Augen wohl dann und wann zu den neuen Ankömmlingen flüchtig herübergesehen, im übrigen aber durch seine ganze Haltung weder Freude noch Teilnahme bezeigt hatte.

Und immer weiter ging die Fahrt, und immer stiller wurde der Tag. Auch der Mann am Steuer schwieg jetzt, und Valtin und Grete hörten nichts mehr als das Gurgeln des Wassers und das Gezirp im Rohr und dazwischen den Küchenlärm, in dem sich das junge Frauenzimmer, je näher die Mahlzeit rückte, desto mehr zu gefallen schien. Und jetzt nahm sie einen blanken Teller, hielt ihn hoch und schlug mit einem Quirl an die Außenseite. Das war das Zeichen, und alle versammelten sich um die Feuerstelle her. Nur Valtin und Grete waren zurückgeblieben; aber der Alte kam alsbald auf sie zu, und nach kurzer Ansprache, von der sie nichts verstehen konnten, nahm er Greten an der Hand und führte sie, während er die gangbarsten und trockensten Stellen aussuchte, bis auf die Mitte des Floßes.

Und jetzt erst erkannten unsre Flüchtlinge, wie sonderbar, aber auch wie zweckentsprechend die hier befindliche Kochgelegenheit aufgebaut und eingerichtet war. Das ganze Floß, auf mehr als zehn Schritt im Quadrat, war wie mit einem dicken Rasen überdeckt, auf dem sich wiederum, ebenfalls aus Rasenstücken aufgeschichtet, ein wohl drei Fuß hoher und unverhältnismäßig breiter und geräumiger Herd erhob. In diesen waren Löcher eingeschnitten, und in den Löchern standen Töpfe, um die mehrere kleine Feuer lustig flackerten. Und nun setzten sich die Männer in Front des Herdes, so daß sie den Fluß hinuntersehen konnten, und nahmen ihr Mahl ein, das zunächst aus einer Brühe mit Huhn und Hirse, dann aber aus dem Breitfisch, dem letzten Ertrag ihres Fanges, bestand. Alle ließen sich's schmecken; und als Valtin, gegen den Schluß des Mahles hin, sich über ihr Wohlleben verwunderte, lachte der Alte und beschrieb einen Kreis mit seiner Rechten, als ob er andeuten wolle, daß ihm Ufer und Landschaft, mit allem, was darauf fleucht und kreucht, tributpflichtig seien.

Und nun war das Mahl beendet, und Valtin und Grete, nachdem sie gedankt, erhoben sich und suchten wieder ihr Zelt in Nähe des Steuers auf.

Sie mußten, an Neumühlen vorüber, schon meilenweit gefahren sein und hätten sich zu jeglichem um sie her beglückwünschen können, wenn nicht das junge Frauenzimmer mit den blanken Flechten und den schwarzen Stechaugen gewesen wäre. Valtin hatte nichts bemerkt, aber der schärfer sehenden Grete war es nicht entgangen, daß sie seit Mittag kein Auge von ihnen ließ und ersichtlich etwas gegen sie vorhatte. Ob aus Eifersucht oder Habsucht, ließ sich nicht erkennen, aber etwas Gutes konnt es nicht sein, und als der Tag sich neigte, rückte Grete näher und teilte Valtin ihre Besorgnisse mit. Dieser schüttelte den Kopf und wollte davon nichts wissen, und siehe da, auch Grete vergaß es wieder, als sich, gleich nach Sonnenuntergang, ein neues Leben auf dem Floße zu regen begann. Der Alte nahm eine Fiedel, und die Frauensperson, die sich mittlerweile geputzt und eine rote Schürze angelegt hatte, führte mit dem jungen Burschen einen böhmischen Tanz auf. Danach setzten sie sich an den Herd und sangen Lieder, die der Alte mit ein paar Strichen auf der Fiedel begleitete.

Und nun kam die Dämmerung, und die Sterne begannen matt zu flimmern. Das Floß selbst hatte sich hart ans Ufer gelegt, das hier, anfänglich flach, dreißig Schritte weiter landeinwärts eine hohe, steile Wandung zeigte. Es war noch hell genug, um die rotgelben Töne des fetten Lehmbodens erkennen zu können. Alles schwieg, und nur Grete, der ihr Verdacht wiedergekommen war, sagte leise: »Valtin, ich habe doch recht. Ich fürchte mich.«

»Glaubst du wirklich, daß es böse Leute sind?«

»Nicht eigentlich böse Leute, aber sie werden der Versuchung nicht widerstehen können. Du hast ihnen Geld gezeigt, und die Frau hat gesehen, daß ich Schmuck trage. Sie werden uns berauben wollen. Und setzest du dich zur Wehr, so ist es unser letzter Tag.«

Valtin überlegte hin und her und sagte dann: »Ich fürcht, es ist, wie du sagst. Und so müssen wir wieder fliehen. Ach, immer fliehen! Auch noch auf der Flucht eine Flucht.« Und er seufzte leise.

Grete hörte die Klage wohl heraus, aber sie hörte zugleich auch, daß es kein Vorwurf war, und so nahm sie seine Hand und sah ihn bittend an. Kannte sie doch ihre Macht über ihn. Und diese Macht blieb ihr auch diesmal treu, und alles war wieder gut.

Es traf sich glücklich, daß das Floß mit eben dem Hintereck, auf dem ihr Zelt stand, auf den Ufersand gefahren war. Sie teilten sich's mit und kamen überein, auf das Segeltuch, das sie den Tag über zu Häupten gehabt hatten, eine Silbermünze zu legen und, sobald alles schliefe, mit einem einzigen Satz ans Ufer zu springen. Wären sie dann erst die steile Lehmwand hinauf, so würde sie niemand mehr verfolgen. Und wenn es geschäh, so wär es ohne Not und Gefahr, denn Schiffsleute hätten einen schweren Gang und wären langsam zu Fuß.

Und während sie so sprachen, war der Mond aufgegangen. Das erschreckte sie vorübergehend. Aber es standen auch Wolken am Himmel, und so warteten sie, daß diese heraufziehen und den Mond überdecken möchten.

Und nun war es geschehen. »Jetzt«, sagte Valtin, und den Beistand des Himmels anrufend, sprangen sie vom Floß ans Ufer. Das seichte Wasser, das hier um ein paar Binsen her stand, klatschte hoch auf; aber sie hatten dessen nicht acht, und im nächsten Augenblicke die steile Lehmwand erkletternd, schritten sie rasch über das Feld hin und in die Nacht hinein.

Niemand folgte.

## Fünfzehntes Kapitel

### *Drei Jahre später*

Drei Jahre waren seitdem vergangen, und wieder färbte der Herbst die Blätter rot; allüberall in der Altmark, und nicht zum wenigsten in dem Städtchen Arendsee, dessen endlos lange Straße, zugleich seine einzige, nach links hin aus Häusern und Gärten, nach rechts hin aus Klostergebäuden und zwischenliegenden Heckenzäunen bestand. Hinter einem dieser Heckenzäune, der abwechselnd von Dorn und Liguster gebildet wurde, ließ sich ein auf Säulen ruhender Kreuzgang erkennen, in dessen quadratischer Mitte der Klosterkirchhof lag, wild und verwahrlost, aber in seiner Verwahrlosung nur um so schöner. Einige hoch aufgemauerte Grabsteine schimmerten aus allerlei

Herbstesblumen und dichtem Grase hervor, die meisten aber versteckten sich im Schatten alter Birnbäume, deren ungestützte Zweige mit ihrer Last bis tief zu Boden hingen. Vorüberziehende Fremde würden sich des Bildes gefreut haben, das eben jetzt, bei niedergehender Sonne, von absonderer Schönheit war; ein paar Arendseesche Bürger aber, Handwerker und Ackersleute zugleich, die mit ihrem Gespann vom Felde hereinkamen, achteten des wohlbekannten Anblicks nicht und hielten erst, als sie schon dreißig Schritt über den Heckenzaun hinaus waren und an der andern Seite der Straße dreier hochbepackter Wagen ansichtig wurden, die hier, vor einer alten Ausspannung mit tiefer Einfahrt, den ohnehin schmalen Weg beinah versperrten.

»Süh, Kersten, doa sinn se all. Awers hüt wahrd et nix mihr.«

»Nei, hüt nich. Un weet'st all, Hanne, se speelen joa nicht blot mihr mit Zocken un Puppen. Se kümmen joa nu sülwer 'rut.«

»Joa; so hebb ick't ook hürt. Richt'ge Minschen … Jott, wat man nich allens erlewen deiht!«

Und damit gingen sie vorüber, weiter in die Stadt hinein.

Und es war so, wie die beiden Ackerbürger gesagt hatten. Puppenspieler, die, wie's dazumalen aufkam, ihre Puppen zeitweilig im Kasten ließen und an Stelle derselben in eigener Person auftraten, waren an eben jenem Nachmittag in das Städtchen gekommen und hatten sich's in der Ausspannung, vor der ihre Wagen hielten, bequem gemacht. Da saßen sie jetzt zu vier um den Tisch der großen Schenkstube herum, ihrem Aufputz und ihrer Redeweise nach oberdeutsches Volk, und vertaten das Geld, das ihnen der Salzwedelsche Michaelismarkt eingebracht hatte. Denn von daher kamen sie. Zwei derselben alte Bekannte von uns. Der Schwarzhaarige, mit einer Narbe quer über der Stirn, war derselbe, den wir an jenem hellen Julivormittag, an dem unsere Geschichte begann, an der Emrentz Fenster vorüber seinen Umritt hatten machen sehn, und der neben ihm, ja, das mußte, wenn nicht alles täuschte, der Hagre, Schlackerbeinige mit dem weißen Hemd und der hohen Filzmütze sein, der bei Tage die Pauke gerührt und am Abend, in seinem hölzernen Abbild wenigstens, den Polizeischergen des »Jüngsten Gerichtes« gemacht hatte. Ja, sie waren es wirklich, dieselben fahrenden Leute, denn eben erschien auch die große stattliche Frau, die damals, in halb spanisch, halb türkischem Aufzug, als dritte zwischen ihnen zu Pferde gesessen. Auch heute war sie verwunderlich genug gekleidet, trug aber, statt des langen schwarzen Schleiers mit den Goldsternchen, ein scharlachrotes Manteltuch, das sie, voll Majestät und nach Art eines Krönungsmantels, um ihre Schultern gelegt hatte. »Ach, Zenobia«, riefen alle und rückten zusammen, um ihr am Tische Platz zu machen. Mit ihr zugleich war der Wirt eingetreten, ein paar Kannen im Arm, und überbot sich alsbald in Raschheit und Dienstbeflissenheit gegen seine Gäste. Wußt er doch, daß sie mit vollem Beutel kamen und außerdem Freibrief und gutes Zeugnis von aller Welt Obrigkeit aufzuweisen hatten. Und was wollt er mehr?

»Wirt«, rief der Schwarzhaarige, der auch heute wieder die Herrenrolle spielte, »die Salzwedelschen haben mir gefallen. Die drehen den Schilling nicht erst ängstlich um. Zweimal gespielt jeden Tag, erst die Puppen und dann wir selber. Und immer voll, und kein Apfel zur Erde. Ein lustiges Volk; nicht wahr, Wirt? Und wie heißt doch der Spruch von den Salzwedelschen? Ihr kennt ihn?«

»Ei, freilich; welcher Altmärksche wird *den* nicht kennen. Ein guter Spruch, und er geht so:

> De *Stendalschen* drinken gerne Wien,
> De *Gardeleger* wülln Junker sien,
> De *Tangermündschen* hebben Mot,
> De *Soltwedler* awers, de hebben dat Got.«

»Ja, das haben sie, das haben sie«, schrien alle durcheinander, und der Wirt wiederholte seinerseits: »Ein guter Spruch, ihr Herren. Bloß daß die Arendseeschen drin vergessen sind.«

»Ei, warum vergessen! Solch Sprüchel ist ja nicht wie's Vaterunser, wo nichts zukann und nichts weg. Was ihm fehlt, das machen wir dazu. Könnt Ihr nicht einen Reim machen, Wirt? Ein Wirt muß alles können, reimen und rechnen.«

»Ja, rechnen!« fiel der Chorus ein.

»Ärgert ihn nicht, sonst bringt er's nicht zustand. Und ich seh's ihm an, daß er dran haspelt. Habt Ihr's?«

»Ja … De Stendalschen drinken gerne Wien …«

»Nein, nein, das nicht. Das ist ja die alte Leier. Wir wollen den neuen Reim hören, den Arendseeschen.«

Und so ging es unter Lärmen und Schreien weiter, bis der Wirt eine Pause wahrnahm und in schelmischem Ernst über den Tisch hin deklamierte:

»Un di *Arendseeschen*, di hebben dat Stroh,
Awers hebben fifteig'n Nonnen dato.«

»Funfzehn Nonnen! Habt ihr gehört? Aber woher denn Nonnen? Es gibt ja keine Nonnen mehr. Ich meine hierzuland. Unten im Reich, da hat's ihrer noch genug. Nicht wahr, Zenobia? Aber hier! Alles aufgehoben, was sie ›säkularisieren‹ nennen. Habe mir's wohl gemerkt. Und das hat Euer vorvoriger Herr Kurfürst getan, der Herr Joachim, den ich noch habe begraben sehn. War das erste Mal, daß mein Vater selig bis hier hinauf ins Wittenbergsche kam. Anno 71, und ich war noch ein Kind.«

»Ja, sie sind aufgehoben. Aber 's gibt ihrer doch noch, hier und überall im Land. Und obwohlen unser alter Roggenstroh alle Sonntage gegen sie predigt, es hilft ihm nichts, sie bleiben doch. Und warum bleiben sie? Weil sie den adligen Anhang haben. Und oben in Cölln an der Spree, na, das weiß man, da sitzen auch die Junkerchen zu Rat und drücken ein Auge zu.«

»Gut, gut. Meinetwegen. Lassen wir die Junker und die Nonnen. Es muß auch Nonnen geben. Nicht wahr, Zenobia?«

Diese zog ihre rote Drapierung nur noch fester um ihre Schultern und schwieg in königlicher Würde weiter.

»Un hebben fifteig'n Nonnen dato! Wahrhaftig, Wirt, das habt Ihr gut gemacht, sehr gut. Ihr könnt't uns die Stücke schreiben. Was meinst, Nazerl, wir haben schon schlechtre gehabt! Aber singen wir; du singst vor, Matthes.«

Und der Angeredete, der seinem starr und aufrecht stehenden roten Haare, vor allem aber seinen linsengroßen Sommersprossen nach der einzig Plattdeutsche von der Gesellschaft zu sein schien, intonierte mit heiserer Stimme: »Kaiser Karolus sien bestet Peerd.«

»Nicht doch, nicht doch«, fuhr der mit der Narbe dazwischen, »das kann Zenobia nicht hören; das singen ja die Knechte. Sing du, Hinterlachr. Aber was Feins und Zierlichs.«

Und Hinterlachr sang:

»Zu Bacharach am Rheine,
Da hat mir's wohlgetan,
Die Wirtin war so feine,
So feine,
Und als wir ganz alleine …«

»Ach, dummes Zeug. Immer Weiber und Weiber. Aber sie denken nicht dran; und am wenigsten, was eine richtige Wirtin ist. Sie lachen dich aus. Nazerl, mach du dein Sach. Aber nichts von den Weibern; hörst du. Halt dich an *das*!« Und dabei schob er ihm eine frische Kanne zu, die der Wirt eben hereingebracht hatte.

Und Nazerl hob an:

»Der liebste Buhle, den ich hab,
Der liegt beim Wirt im Keller,
Er hat ein hölzins Röcklein an
Und heißet Muskateller:
Hab manche Nacht mit ihm verbracht,
Er hat mich immer glücklich 'macht, glücklich 'macht,
Und lehrt mich lustig singen.«

»Das ist recht. Der liebste Buhle, den ich hab ... *das* gefällt mir. Der Nazi hat's getroffen. Was meinst, Zenobia?«

Und alle wiederholten den Vers und stießen mit ihren Kannen und Bechern zusammen.

»Ihr müßt nicht so lärmen«, sagte jetzt der, der mit »Bacharach am Rheine« so wenig durchgedrungen war. »Er liegt grad über uns, und ich glaub, er macht es nicht lange mehr.«

Zenobia nickte.

So ging's unten her. Über ihnen aber, auf einer Schütte Stroh, drüber ein Laken gebreitet war, lag ein Kranker, ein Kissen unterm Kopf und mit ein paar Kleidungsstükken zugedeckt. Neben ihm, auf einem Fußschemel, saß eine junge Frau, blaß und fremd, und hielt mit ihrer Rechten den Henkel eines als Wiege dienenden Korbes, mit ihrer Linken die Hand des Kranken. Dieser schien einen Augenblick geschlafen zu haben, und als er jetzt die Augen wieder öffnete, beugte sie sich zu ihm nieder und fragte leise: »Wie ist dir?«

»Gut.«

»Ach, sage nicht gut. Deine Stirn brennt, und ich seh, wie deine Brust fliegt. Mein einzig lieber Valtin, vergib mir, sage mir, daß du mir vergibst.«

»Was, Grete? Was soll ich dir vergeben?«

»Was? was? Alles, alles! Ich bin schuld an deinem Elend, und nun bin ich schuld an deinem Tod. Aber ich wußt es nicht anders, und ich wollt es nicht. Ich war ein Kind noch, und sieh, ich liebte dich so sehr. Aber nicht genug, nicht genug, und es war nicht die rechte Liebe. Sonst wär es anders gekommen, alles anders.«

»Laß es, Grete.«

»Nein, ich laß es nicht. Ich will mein Herz ausschütten vor dir. Ach, sonst beichten die Sterbenden, ich aber will *dir* beichten, dir.«

Er lächelte. »Du hast mir nichts zu beichten.«

»Doch, doch. Viel, viel mehr, als du glaubst. Denn sieh,

ich habe nur an *mich* gedacht; das war es; da liegt meine Schuld. Es kommt alles von Gott, auch das Unrecht, das man uns antut, und wir müssen es tragen lernen. Das hat mir Gigas oft gesagt, so oft; aber ich *wollt* es nicht tragen und hab aufgebäumt in Haß und in Ungeduld. Und in meinem Haß und meiner Ungeduld hab ich dich mit fortgezwungen und habe dich um Glück und Leben gebracht.«

Er schüttelte den Kopf und wiederholte nur leise: »Laß es, Grete. Du hast mich nicht um das Glück gebracht. Es war nur anders als andrer Leute Glück. Weißt du noch, als wir auf dem Floß fuhren und das Schilf streiften und die Wasservögel aufflogen, ach, wie stand da der Himmel so blau und golden über uns, und wie hell schien uns die Sonne! Ja, da waren wir glücklich. Und als wir dann auf Lübeck zogen und das Holstentor vor uns hatten, das uns mit seinen grünen und roten Ziegeln ansah, und dann Musik und Fahnenschwenker auf uns zukamen, als ob man uns einen Einzug machen wolle, da lachten wir und waren froh in unserem Herzen, denn wir nahmen es als ein gutes Zeichen und wußten nun, daß wir gute Tage haben würden. Und wir *hatten* sie auch, und hätten sie noch, denn fleißige Tage sind gute Tage, wenn nicht der Streit gekommen wär, der Streit um viel und nichts ... Er dacht eben, er dürf es dir ansinnen, weil wir arm waren und er reich und eines Ratsherrn Sohn. Und da war es denn freilich aus ... Aber laß, Grete. Was wir gehabt haben, das haben wir gehabt. Und nun gib mir das Kind, daß ich mich seiner freue.«

Grete war aufgestanden, um ihm das Kind zu geben; eh sie's jedoch aufnehmen konnte, befiel ihn ein Stickhusten, wohl von der Anstrengung des Sprechens, und als der Anfall endlich vorüber war, lag er schweißgebadet da, matt und halbgeschlossenen Auges, wie ein Sterbender.

So vergingen Minuten, bis er sich wieder erholt hatte und trinken zu wollen schien. Wenigstens sah er sich um, als such er etwas. Und wirklich, neben seinem Lager stand ein Hafenglas, drin ihm aus Brotrinden und dünnem Essig ein Getränk gemacht worden war. Aber der Geschmack widerstand ihm, und er wies es zurück und sagte: »Wasser.« Und Grete holte den Wasserkrug herbei, der groß und unhandlich und viel zu schwer war, um draus zu trinken, und als sie noch unschlüssig dastand und überlegte, wie sie den Trunk ihm reichen solle, hob er sich mühsam auf und sagte lächelnd: »Aus deiner Hand, Gret; ein paar Tropfen bloß. Ich brauche nicht viel.« Und sie tat's und gab ihm. Als er aber getrunken, hielt sie sich nicht länger mehr und rief, während sie halb im Gebet und halb in Verzweiflung ihre Hände gen Himmel streckte: »Ach, daß ich leben muß! Valtin, mein einzig Geliebter, nimm mich mit dir, mich und unser Kind. Was hier noch war, warst du. Nun gehst du. Und wir sind unnütz auf dieser Welt.«

»Nein, Grete, nicht unnütz. Und du mußt leben, leben um des Kindes willen. Auch wenn es dir schwer wird. Und du wirst es, denn du hattest immer einen tapfern und guten Mut. Ich weiß davon. Und nun hör mich und tu, wie ich dir sage. Aber bücke dich; bitt, denn es wird mir schwer.«

Und sie rückte näher an sein Kissen.

»Es muß etwas geschehen«, fuhr er fort, »und du kannst nicht mehr bleiben mit den fahrenden Leuten unten. Ich mag sie nicht schelten, denn sie waren gut mit uns, aber sie sind doch anders als wir. Und du mußt wieder eine Heimstätt haben und Herd und Haus und Sitt und Glauben. Und so versprich mir denn, mache dich los hier, in Frieden und guten Worten, und zieh wieder heim und sage … sage … daß ich schuld gewesen.«

Grete schüttelte heftig den Kopf. *Ihm* die Schuld zuzuschieben, das erschien ihr schwerer als alles. Er aber legte still seine Hand auf ihren Mund und wiederholte nur: »… daß ich schuld gewesen. Und wenn du das gesagt hast, Grete, dann sag auch, du kämest, um wiedergutzumachen, was du getan, und sie sollten dich halten als ihre Magd.

Und du wolltest kein Glück mehr, nein, nur Ruh und Rast. Und dann mußt du niederknien, nicht vor *ihr*, aber vor deinem Bruder Gerdt. Und er wird dich aufrichten …«

»Ach, daß es käme, wie du sagst! Aber ich kenn ihn besser. Er wird mir drohn und mich von seiner Schwelle weisen, mich und das Kind, und wird uns böse Namen geben.«

»Ich fürcht es nicht. Aber wenn er härter ist, als ich ihn schätze, dann geh ihn an um dein Erbe, das wird er dir nicht weigern können. Und dann suche dir einen stillen Platz und gründe dir ein neues Heim und einen eigenen Herd. Tu's, Gret. Ich weiß, du hast ein trotzig Gemüt; aber bezwinge dich um des Kindes willen. Versprich mir's. Willst du?«

»Ich will.«

Es schien, daß sie noch weitersprechen wollt, aber in diesem Augenblicke trat Zenobia ein und sagte: »Denk, Gret, 's gibt noch a Spiel heut. Den ›Sündfall‹ wollen's. Das Leutvolk laßt uns ka Ruh nit. Aber a ›Sündfall‹ ohn a Engel? Das geht halt nit. Und drum komm i. Was meinst, Gret?«

Diese starrte vor sich hin.

»Geh«, sagte Valtin. »Rücke den Korb dicht her zu mir und spiele den Engel. Und wenn die Stelle kommt, wo du die Palme hebst, dann denk an mich.«

Und sie rückte den Korb näher an sein Lager und beugte sich über ihn. Er aber nahm noch einmal ihre Hand und sagte: »Und nun leb wohl, Gret, und vergiß es nicht. Ich höre jedes Wort. Geh. Ich wart auf dich.«

Und Grete ging und barg ihr Gesicht in beide Hände.

## Sechzehntes Kapitel

### *Die Nonnen von Arendsee*

Am andern Morgen ging es in Arendsee von Mund zu Mund, daß einer von den Puppenspielern über Nacht gestorben sei. An allen Ecken sprach man davon, und alles war in Aufregung. Was mit ihm tun? Ein Sarg war beschafft worden, das war in der Ordnung; aber *wo* ihn begraben, das blieb die Frage. War ihr Kirchhof ein Begräbnisplatz für fahrende Leute, von denen keiner wußte, wes Glaubens sie seien, Christen oder Heiden! Oder vielleicht gar Türken. Und dabei dachte jeder an die Frau, die gestern, vor Beginn des Spiels, ein langes rotes Tuch um die Schulter, am Eingange gesessen hatte.

Es war klar, daß nur der alte Prediger Roggenstroh den Fall entscheiden konnte; und ehe Mittag heran war, wußte jeder, *daß* er ihn entschieden habe und *wie*. Grete selber hatte, neben einer eindringlichen Ermahnung, das Nein aus seinem Munde hören müssen.

Da war nun große Not und Trübsal, und es wurd erst wieder lichter um Gretens Herz, als sich die Wirtin ihrer erbarmte und ihr anriet, drüben ins Kloster zu den Nonnen zu gehen, die würden schon Rat schaffen und ihr zu helfen wissen, wär es auch nur, weil sie den alten Roggenstroh nicht leiden könnten. Sie solle nur Mut haben und nach der Domina fragen oder, wenn die Domina krank sei (denn sie sei sehr alt), nach der Ilse Schulenburg. *Die* habe das Herz auf dem rechten Fleck und sei der Domina rechte Hand. Und wenn diese stürbe, dann würde *sie's*.

Das waren rechte Trostesworte, und als Grete der Wirtin dafür gedankt, machte sie sich auf, um drüben im Kloster das ihr bezeichnete Haus aufzusuchen. Ein paar halbwachsene Kinder, die vor dem Tor der Ausspannung spielten, wollten ihr den Weg zeigen, aber sie zog es vor, allein zu sein, und ging auf die Stelle zu, wo der Heckenzaun und dahinter der Kreuzgang war. Als sie hier, trotz allem Suchen, keinen Eingang finden konnte, preßte sie sich durch die Hecke hindurch und stand nun unmittelbar vor einer langen offenen Rundbogenreihe, zu der ein paar flache Sandsteinstufen von der Seite her hinaufführten. Drinnen an den Gewölbekappen befanden sich halbverblaßte Bilder, von denen eines sie fesselte: Engelsgestalten, die schwebend einen Toten trugen. Und sie sah lange hinauf, und ihre Lippen bewegten sich. Dann aber stieg sie, nach der andern Seite hin, die gleiche Zahl von Stufen wieder hinab und sah sich alsbald inmitten des Klosterkirchhofes, der fast noch wirrer um sie her lag, als sie beim ersten Anblick erwartet. Wo nicht die Birnbäume mit ihren tief herabhängenden Zweigen alles überdeckten, standen Dill- und Fencheldolden, hoch in Samen geschossen; dazwischen aber allerhand verspätete Kräuter, Thymian und Rosmarin, und füllten die Luft mit ihrem würzigen Duft. Und sie blieb stehen, duckte sich und hob sich wieder, und es war ihr, als ob diese wuchernde Gräberwildnis, diese Pfadlosigkeit unter Blumen, sie mit einem geheimnisvollen Zauber umspinne. Endlich hatte sie das Ende des Kirchhofes erreicht, und sie sah zwischen den Bogen hindurch, die das Viereck auch nach dieser Seite hin abschlossen, auf den in der Tiefe liegenden Klostersee, den nach links hin, ein paar hundert Schritt weiter abwärts, einige Häuser umstanden. Eines davon, das vorderste, steckte ganz in Efeu und war bis in Mittelhöhe des Daches von fleischblättrigem und rotblühendem Hauslaub überdeckt. All das ließ sich deutlich erkennen, und als Grete bis dicht heran war, sah sie, daß eine Magd auf dem Schwellsteine stand und den großen Messingklopfer putzte.

»Wer wohnt hier?« fragte Grete.

»Das Fräulein von Jagow.«

»Ist es eine von den Nonnen?«

Das Mädchen lachte. »Von den Nonnen? Wir haben keine Nonnen mehr. Es ist die Domina.«

»Das ist gut. Die such ich.«

Und das Mädchen, ohne weiter eine Frage zu tun, trat in den Flur zurück, um ihr den Weg frei zu machen, und wies auf eine Tür zur Linken. »Da.«

Und Grete öffnete.

Es war ein hohes, gotisches, auf einem einzigen Mittelpfeiler ruhendes Zimmer, drin es schwerhielt, sich auf den ersten Blick zurechtzufinden, denn nur wenig Sonne fiel ein, und alles Licht, das herrschte, schien von dem Feuer herzukommen, das in dem tiefen und völlig schmucklosen Kamine brannte. Neben diesem, einander gegenüber, saßen zwei Frauen, sehr verschieden an Jahren und Erscheinung, zwischen ihnen aber lag ein großer, gelb und schwarz gefleckter Wolfshund, mit spitzem Kopf und langer Rute, der der Jüngeren nach den Augen sah und wedelnd auf die Bissen wartete, die diese ihm zuwarf. Er ließ sich auch durch Gretens Eintreten nicht stören und gab seine Herrin erst frei, als diese sich nach der Tür hinwandte und in halblautem Tone fragte: »Wen suchst du, Kind?«

»Ich suche die Domina.«

»Das ist sie.« Und dabei zeigte sie nach dem Stuhl gegenüber.

Die Gestalt, die hier bis dahin zusammengekauert gesessen hatte, richtete sich jetzt auf, und Grete sah nun, daß es eine sehr alte Dame war, aber mit scharfen Augen, aus denen noch Geist und Leben blitzte. Zugleich erhob sich auch der Hund und legte seinen Kopf zutraulich an Gretens Hand, was ein gutes Vorurteil für diese weckte. Denn »er kennt die Menschen«, sagte die Domina.

Diese hatte mittlerweile Greten an ihren Stuhl herangewinkt.

»Wie heißt du, Kind? Und was führt dich her? Aber stelle dich hier ins Licht, denn mein Ohr ist mir nicht mehr zu Willen, und ich muß dir's von den Lippen lesen.«

Und nun erzählte Grete, daß sie zu den fahrenden Leuten gehöre, die gestern in die Stadt gekommen seien, und daß einer von ihnen, der ihr nahegestanden, in dieser Nacht gestorben sei. Und nun wüßten sie nicht, wohin ihn begraben. Einen Sarg hätten sie machen lassen, aber sie hätten kein Grab für ihn, kein Fleckchen Erde. Wohl sei sie bei dem alten Prediger gewesen und hab ihn gebeten, aber der habe sie hart angelassen und ihr den Kirchhof versagt. Den Kirchhof und ein christlich Begräbnis.

»Bist du christlich?«

»Ja.«

»Aber du siehst so fremd.«

»Das macht, weil meine Mutter eine Spansche war.«

»Eine Spansche …? Und im alten Glauben?«

»Ja, Domina.«

Die beiden Damen sahen einander an, und die Domina sagte: »Sieh, Ilse, das hat ihr der Roggenstroh von der Stirn gelesen. Er sieht doch schärfer, als wir denken. Aber es hilft ihm nichts, und wir wollen ihm einen Strich durch die Rechnung machen. Er hat *seinen* Kirchhof und wir haben den *unsren.* Und auf unsrem, denk ich, schläft sich's besser.«

»Ja, Domina.«

»Sieh, Kind, das sag ich auch. Und ich warte nun schon manches Jahr und manchen Tag darauf. Aber der Tag will nicht kommen. Denn du mußt wissen, ich werde fünfundneunzig und war schon geboren und getauft, als der Wittenbergsche Doktor gen Worms ging und vor Kaiser Carolus Quintus stand. Ja, Kind, ich habe viele Zeiten gesehen, und sie waren nicht schlechter, als unsre Zeiten sind. Und morgen um die neunte Stunde, da komm nur herauf mit deinem Toten, und da soll er sein Grab haben. Ein Grab bei *uns.* Und nicht an schlechter Stell und unter Unkraut; nein, wir wollen ihn unter einem Birnbaum begraben, oder, so du's lieber hast, unter einem Fliederbusch. Hörst du. Verlaß dich auf mich und auf *diese* hier. Denn *die* hier und ich, wir verstehen einander, nicht wahr, Ilse? Und wir wollen die Klosterglocke läuten lassen, daß es der Roggenstroh bis in seine Stube hört und nächsten Sonntag wieder gegen uns predigt, gegen uns und gegen den Antichrist. Das tut er am liebsten, und wir hören es am liebsten. Und nun geh, Kind. Ich hasse den Hochmut und weiß nur das eine, daß unser All-Erbarmer für unsre Sünden gestorben ist und nicht für unsre Gerechtigkeit.«

Und danach ging Grete, und der Hund begleitete sie bis an die Tür.

Als die beiden Frauen wieder allein waren, sagte die Domina: »Unglücklich Kind. Sie hat das Zeichen.«

»Nicht doch; sie hat schwarze Augen. Und die hab ich auch.«

»Ja, Ilse. Aber deine lachen und ihre brennen.«

»Du siehst zuviel, Domina.«

»Und du zuwenig. Alte Augen sehen am besten im Dunkeln. Und das Dunkelste ist die Zukunft.«

Und so kam der andre Morgen.

Die neunte Stunde war noch nicht heran, als ganz Arendsee die Klosterglocke läuten hörte. Und auch Roggenstroh hörte sie; das verdroß ihn. Aber ob es ihn verdroß oder nicht, von der tiefen Einfahrt des Gasthofes her setzte sich ein seltsamer Zug in Bewegung, ein Begräbnis, wie die Stadt noch keines gesehen; denn die vier Puppenspieler trugen den Sarg, der auf eine Leiter gestellt worden war, und hinter ihnen her ging Grete, nur auf Zenobia gestützt, die sich heute von allem Rot entkleidet und statt dessen an ihren Spitzhut wieder ihren langen schwarzen Schleier mit den Goldsternchen befestigt hatte. Und dann kamen Kinder aus der Stadt, die vordersten ernst und traurig, die letzten spielend und lachend, und so ging es die Straße hinunter, in weitem Bogen um den Kirchhof herum, bis an die Seeseite, wo, von alter Zeit her, der Eingang war.

In Nähe dieses Einganges, unter einem hohen Fliederbusch, der mit seinen Zweigen bis in den Kreuzgang hineinwuchs, hatte der Klostergärtner das Grab gegraben. Und um das Grab her standen die Nonnen von Arendsee: Barbara von Rundstedt, Adelheid von Rademin, Mette von Bülow und viele andere noch, alle mit Spitzhauben und langen Chormänteln, und in ihrer Mitte die Domina, klein und gebückt, und neben ihr Ilse von Schulenburg, groß und stattlich. Und als nun der Zug heran war, öffnete sich der Kreis, und mit Hülfe von Seilen und Bändern, die zur Hand waren, wurde der Sarg hinabgelassen. Und nun schwieg die Glocke, und die Domina sagte: »Sprich den Spruch, Ilse.« Und Ilse trat bis dicht an das Grab und betete: »Unsre Schuld ist groß, unser Recht ist klein, die Gnade Gottes tut es allein.« Und alle Nonnen wiederholten leise vor sich hin: »Und die Gnade Gottes tut es allein.« Danach warfen die Zunächststehenden eine Handvoll Erde dem Toten nach, und als ihr Kreis sich gelichtet, drängten sich die Kinder von außen her bis an den Rand des Grabes und streuten Blumen über den untenstehenden Sarg: Astern aller Farben und Arten, die sie während der kurzen Zeremonie von den verwilderten Beeten gepflückt hatten.

Bald danach war nur noch Grete da und sah auf den Fliederbusch, der bestimmt schien, das Grab zu schützen. Ein Vogel flog auf und über sie hin und setzte sich dann auf eine Hanfstaude und wiegte sich. »Ein Hänfling!« sagte sie. Und die Bilder vergangener Tage stiegen vor ihr auf; ihr Schmerz löste sich, und sie warf sich nieder und weinte bitterlich.

Als sie sich erhob, sah sie, daß Ilse, die mit den andern gegangen war, zwischen den Rundbögen wieder herauf- und auf sie zukam, allem Anscheine nach, um ihr eine Botschaft zu bringen. Und so war es. »Komm, Grete«, sagte sie, »die Domina will dich sprechen«; und beide gingen nun, außerhalb des Kreuzganges, zwischen diesem und dem Seeufer hin, und auf das efeuumsponnene Haus mit dem hohen Dach und den rotblühenden Laubstauden zu.

Es war schwül, trotzdem schon Oktobertage waren, und die Domina, die nach Art alter Leute die Sonnenwärme liebte, hatte Tisch und Stühle in Front ihres Hauses bringen lassen. Hier saß sie vor dem dichten, dunklen Gerank, durch das von innen her der Widerschein des Kaminfeuers blitzte, und auf das Tischchen neben ihr waren Obst und Lebkuchen gestellt, Ulmer und Basler, und eine zierliche Deckelphiole mit Syrakuser Wein.

Grete verneigte sich.

»Ich habe dich rufen lassen«, sagte die Domina, »weil ich dir helfen möchte, so gut ich kann. Es soll keiner ungetröstet von unsrer Schwelle gehen. So haben es die

Arendseeschen von Anfang an gehalten, und so halten sie's noch. Und auch Ilse wird es so halten. Nicht wahr, Ilse …? Und nun sage mir, Kind, woher du kommst und wohin du gehst? Ich frag es um *deinetwillen*. Sage mir, was du mir sagen kannst und sagen willst.«

Und Grete sagte nun alles und sagte zuletzt auch, daß sie zurück zu den Ihren wolle, zu Bruder und Schwester, um an ihrer Schwelle Verzeihung und Versöhnung zu finden.

»Das ist ein schwerer Gang.«

Grete schwieg und sah vor sich hin. Endlich sagte sie: »Das ist es. Aber ich hab es ihm versprochen. Und ich will es halten.«

»Und wann willst du gehen?«

»Gleich.«

»Das ist gut. Ein guter Wille kann schwach werden, und wir müssen das Gute tun, solange wir noch Kraft haben und die Lust dazu lebendig in uns ist. Sonst zwingen wir's nicht. Und nun gib ihr einen Imbiß, Ilse, und eine Zehrung für den Weg. Und noch eins, Grete: halt an dich, auch wenn es fehlschlägt, und wisse, daß du hier eine Freistatt hast. Und eine Freistatt ist fast so gut wie eine Heimstatt. Und nun knie nieder und höre mein Letztes und mein Bestes: ›Der Herr segne dich und behüte dich und gebe dir seinen Frieden.‹ Ja, seinen Frieden; den brauchen wir alle, aber du Arme, du brauchst ihn doppelt. Und nun geh und eile dich und laß von dir hören.«

Grete küßte der Alten die Hand und ging. Ilse mit ihr. Als diese zurückkam und ihren vorigen Platz an der Efeuwand eingenommen hatte, sagte die Domina: »Wir sehen sie nicht wieder.«

»Und hast ihr doch eine Freistatt geboten!«

»Weil wir das Unsre tun sollen … Und die Wege Gottes sind wunderbar … Aber ich sah den Tod auf ihrer Stirn. Und hab acht, Ilse, sie lebt keinen dritten Tag mehr!«

## Siebzehntes Kapitel
### *Wieder gen Tangermünde*

Grete war in weitem Umkreise bis an das Gasthaus zurückgegangen, um hier von den Leuten, die's gut mit ihr und ihrem Toten gemeint hatten, Abschied zu nehmen. Vor allem von Zenobia. Dann wickelte sie das Kind, das diese bis dahin gewartet hatte, in den Kragen ihres Mantels und schritt aus der Stadt hinaus, auf die große Straße zu, die von Arendsee nach Tangermünde führte. Hielt sie sich zu, das waren der Wirtin letzte Worte gewesen, so mußte sie gegen die vierte Stund an Ort und Stelle sein.

Der Weg ging anfänglich über Wiesen. Es war schon alles herbstlich; der rote Ampfer, der sonst in breiten Streifen an dieser Stelle blühte, stand längst in Samen, und die Vögel sangen nicht mehr; aber der Himmel wölbte sich blau, und die Sommerfäden zogen, und mitunter war es ihr, als vergäße sie alles Leids, das sie drückte. Ein tiefer Frieden lag über der Natur. »Ach, stille Tage!« sagte sie leise vor sich hin.

Nach den Wiesen kam Wald. Junge Tannen wechselten mit alten Eichen, und überall da, wo diese standen, war eine kräftigere Luft, die Grete begierig einsog. Denn es war immer schwüler geworden, und die Sonne brannte.

Mittag mochte heran sein, als sie Rast machte, weniger um ihret- als um des Kindes willen. Und sie gab ihm zu trinken. Das war dicht am Rande des Waldes, wo zwischen anderem Laubholz auch ein paar alte Kastanien ihre Zweige weit vorstreckten. Die Straße verbreiterte sich hier, auf eine kurze Strecke hin, und schuf einen sichelförmigen Platz, an dessen zurückgebogenster Stelle halbgeschälte Birkenstämme lagen, hinter denen wieder ein Quell aus Moos und Stein hervorplätscherte. Hier saß sie jetzt, und um sie her lagen abgefallene Kastanien, einzelne noch in ihren Stachelschalen, die meisten aber aus ihrer Hülle heraus und braun und glänzend. Und sie bückte sich, um einige von ihnen aufzuheben. Und als sie so tat und ihrer immer mehr in ihren Schoß sammelte, da sah sie sich wieder auf ihres Vaters Grab und Valtin neben sich, und sie hing ihm die Kette um den Hals und nannt ihn ihren Ritter. War es doch, als ob jede Stunde dieses Tages Erinnerungen in ihr wecken sollte, süß und schmerzlich zugleich. »Alles dahin«, sagte sie. Und sie stand auf und schüttete die Kastanien wieder in das Gras zu ihren Füßen.

Sie hing ihren Erinnerungen noch nach, als sie das Klirren einer Kummetkette hörte und gleich darauf eines Gefährtes ansichtig wurde, das, von derselben Seite her, von der auch sie gekommen, um die Waldecke bog. Es war eine Schleife mit zwei kleinen Pferden davor, und ein Bauer vorn auf dem Häckselsack. Auch hinter ihm lagen Säcke, mutmaßlich Korn, das er zu Markt oder in die Mühle fuhr. Grete trat an ihn heran und frug, ob er sie mitnehmen wolle. »Eine kleine Strecke nur!«

»Dat will ick jiern. Stejg man upp, Deern.«

Und Grete tat's und setzte sich neben ihn, und sie fuhren still in den Wald hinein. Endlich sagte der Bauer: »Kümmst vun Arendsee?«

»Ja«, sagte Grete.

»Denn wihrst ook in 't Kloster? Jott, de oll Domina! Fiefunneijentig. Na, lang kann't joa nich mihr woahren. Un denn kümmt uns' Ils ran. De wahrd et.«

»Kennt Ihr sie?«

»I, wat wihr ick se nich kenn'? Ick bin joa vun Arnsdörp, wo se bührtig is. Un wat mien Voaders-Schwester is, de wihr joa ehr Amm. Un achters hett se se uppäppelt. Un de seggt ümmer: ›Ils is de best! Un so groot se is, so good is se. Un doaför wahrd se ook Domina.‹«

Und danach schwiegen sie wieder, und nichts als ein paar blaue Fliegen summten um sie her, und die Schleife malte weiter durch den Sand. Nur wenn dann und wann eine festere Stelle kam, wo Moos über den Weg gewachsen war oder wo viel Kiefernadeln lagen, über die die Fuhre glatter hingleiten konnte, gab der Bauer einen Schlag mit seiner Leine und ließ die mageren Braunen etwas schneller gehn. Und man hörte dann sein Hü und Hott und das Klappern der Kette.

»Wo wisten hen?« nahm er endlich das Gespräch wieder auf.

»Nach Tangermünd.«

»Na'h Tangermünd. Oh, doa wihr ick ook. Awers dat geiht nu all in 't dritt o'r vörte Joahr, as uns' Herr Kurförst doa wihr un dat grote Foahnenschwenken wihr, mit Äten un Jublieren. Un allens boaben up de Burg. Joa, doa wihr ick ook, un ümmer mit damang. Awers man buten.«

Grete nickte, denn wie hätte sie *des* Tages vergessen können! Und so plauderten sie weiter und schwiegen noch öfter, bis eine Stelle kam, wo der Weg gabelte. »Hier möt ick rechts aff«, sagte der Bauer.

Und Grete stieg ab und wollt ihm eine kleine Münze geben.

»Nei, nei, Deern, dat geiht nich. O'r bist 'ne Fru?«

Sie wurde rot, aber er hatt es nicht acht und bog nach rechts hin in den Feldweg ein.

Es war noch zwei Stunden Wegs, und Grete, die sich von der Anstrengung des Marsches erholt hatte, schritt wieder rüstiger vorwärts. Auch die Schwüle ließ nach; ein Wind ging und kühlte die Luft und ihr die Stirn. Und sie hatte wieder guten Mut und gefiel sich darin, sich ihr künftiges Leben auszumalen. Aber sonderbar, sie begann es immer vom andern Ende her, und je weiter es ab und in allerfernste Zukunft hineinlag, desto heller und lichter erschien es ihr. Als aber zuletzt ihre Gedanken und Vorstellungen auch auf das Nah- und Nächstliegende kamen und sie sich in Gerdts Haus eintreten und die Knie vor ihm beugen sah, da wurd ihr wieder so bang ums Herz, und sie hatte Mühe, sich zu halten. Und sie nahm das Kind und küßte es. »Es muß sein«, sagte sie, »und es *soll* sein. Ich hab es ihm versprochen, und ich will es halten und will Demut lernen. Ja, ich will um einen Platz an seinem Herde bitten und will seine Magd sein und will mich vor ihm niederwerfen. Aber« – und ihre Stimme zitterte – »*wenn* ich mich niedergeworfen habe, so soll er mich auch wieder aufrichten. Weh ihm und mir, wenn er mich am Boden liegenläßt.« Und bei der bloßen Vorstellung war es ihr, als drehe sich ihr alles im Kopf und als schwänden ihr die Sinne.

Endlich hatte sie sich wiedergefunden und ging rascheren Schrittes weiter, abwechselnd in Furcht und Hoffnung, bis sie plötzlich, aus dem Walde heraustretend, der Dächer und Türme Tangermündens ansichtig wurde. Da ging alles in ihr in alter Lieb und Sehnsucht unter, und sie grüßte mit der Hand hinüber. Das war Sankt Stephan, und die hohen Linden daneben, das waren die Kirchhofslinden. Lebte Gigas noch? Blühten noch die Rosen in seinem Garten? Und sie legte die Hand auf ihre Brust und schluchzte und ward erst wieder ruhiger, als sie die Goldkapsel fühlte, das einzige, was ihr aus alten Tagen her geblieben war. Und sie öffnete sie und schloß sie wieder und preßte sie voll Inbrunst an ihre Lippen.

## Achtzehntes Kapitel

### *Grete bei Gerdt*

Unwillkürlich beschleunigte sich ihr Schritt, und binnen kurzem hatte sie die nur aus wenig Häusern bestehende Vorstadt erreicht. Eins dieser Häuser, das sich nach seinem bemalten und vergoldeten Schilde leicht als ein Herbergshaus erkennen ließ, lag in Nähe des Tores, und sie trat hier ein, um eine Weile zu ruhen und ein paar Fragen zu stellen. Die Leute zeigten sich ihr in allem zu Willen, und eh eine Stunde vergangen war, war sie fertig und stand gerüstet da: die Kleider ausgestäubt und geglättet und das während des langen Marsches wirr gewordene Haar wieder geordnet.

Es schlug eben fünf, als sie, das Kind unterm Mantel,

aus der Herbergstüre trat. Draußen im Sande scharrten die Hühner ruhig weiter, und nur der Hahn trat respektvoll beiseit und krähte dreimal, als sie vorüberging. Ihr Schritt war leicht, leichter als ihr Herz, und wer ihr ins Auge gesehen hätte, hätte sehen müssen, wie der Ausdruck darin beständig wechselte. So passierte sie das Tor, auch den Torplatz dahinter, und als sie jenseits desselben den inneren Bann der Stadt erreicht hatte, war es ihr, als wäre sie gefangen und könne nicht mehr heraus. Aber sie war nicht im Bann der Stadt, sondern nur im Bann ihrer selbst. Und nun ging sie die große Mittelstraße hinauf, an dem Rathause vorüber, hinter dessen durchbrochenen Giebelrosetten der Himmel wieder glühte, so rot und prächtig wie jenen Abend, wo Valtin sie die Treppe hinunter ins Freie getragen und von jähem Tod errettet hatte. Errettet? Ach, daß sie damals zerdrückt und zertreten worden wäre. Nun zertrat sie diese Stunde! Aber sie redete sich zu und schritt weiter in die Stadt hinein, bis sie dem Mindeschen Hause gegenüber hielt. Es war nichts da, was sie hätte stören oder überraschen können. In allem derselbe Anblick wie früher. Da waren noch die Nischen, auf deren Steinplatten sie, lang, lang eh Trud ins Haus kam, mit Valtin gesessen und geplaudert hatte, und dort oben die Giebelfenster, die jetzt aufstanden, um die Frische des Abends einzulassen, das waren *ihre* Fenster. Dahinter hatte sie geträumt, geträumt so vieles, so Wunderbares. Aber doch nicht *das*!

In diesem Augenblicke ging drüben die Tür, und ein Knabe, drei- oder vierjährig, lief auf die Stelle zu, wo Grete stand. Sie sah wohl, wer es war, und wollt ihn bei der Hand nehmen; aber er riß sich los und huschte bang und ängstlich in eines der Nachbarhäuser hinein. »So beginnt es«, sagte sie und schritt quer über den Damm und auf das Haus zu, dessen Tür offengeblieben war. In dem Flure, trotzdem es schon dämmerte, ließ sich alles deutlich erkennen: an den Wänden hin standen die braunen

Schränke, dahinter die weißen, und nur die Schwalbennester, die links und rechts an dem großen Querbalken geklebt hatten, waren abgestoßen. Man sah nur noch die Rundung, wo sie vordem gesessen. Das erschreckte sie mehr als alles andre. »Die Schwalben sind nicht mehr heimisch hier«, sagte sie, »das Haus ist ungastlich geworden.« Und nun klopfte sie und trat ein.

Ihr Auge glitt unwillkürlich über die Wände hin, an denen ein paar von den Familienbildern fehlten, die früher dagewesen waren, auch das ihrer Mutter; aber der große Nußbaumtisch stand noch am alten Platz, und an der einen Schmalseite des Tisches, den Kopf zurück, die Füße weit vor, saß Gerdt und las. Es schien ein Aktenstück, dessen Durchsicht ihm in seiner Ratsherreneigenschaft obliegen mochte. Denn einer von den Mindes saß immer im Rate der Stadt. Das war so seit hundert Jahren oder mehr.

Grete war an der Schwelle stehengeblieben, und erst als sie wahrnahm, daß Gerdt aufsah und die wenigen Bogen, die das Aktenstück bildeten, zur Seite legte, sagte sie: »Grüß dich Gott, Gerdt. Ich bin deine Schwester Grete.«

»Ei, Grete«, sagte der Angeredete, »bist du da! Wir haben uns lange nicht gesehen. Was machst du? Was führt dich her?«

»Valtin ist tot …«

»Ist er? So!«

»Valtin ist tot, und ich bin allein. Ich hab ihm auf seinem Sterbebette versprechen müssen, euch um Verzeihung zu bitten. Und da bin ich nun und tu's und bitte dich um eine Heimstatt und um einen Platz an deinem Herd. Ich bin müde des Umherfahrens und will still und ruhig werden. Ganz still. Und ich will euch dienen; das soll meine Buße sein.« Und sie warf sich, als sie so gesprochen, mit einem heftigen Entschlusse vor ihm nieder, mehr rasch als reuig, und sah ihn fragend und mit sonderbarem Ausdruck an. Das Kind aber hielt sie mit der Linken unter ihrem Mantel.

Gerdt war in seiner bequemen Lage geblieben und sah an die Zimmerdecke hinauf. Endlich sagte er: »Buße! Nein, Grete, du bist *nicht* bußfertig geworden. Ich kenne dich besser, dich und deinen stolzen Sinn. Und in deiner Stimme klingt nichts von Demut. Aber auch wenn du Demut gelernt hättest, unsere Schwester kann nicht unsre Magd sein. Das verbietet uns das Herkommen und das Gerede der Leute.«

Grete war in ihrer knienden Stellung verblieben und sagte:

»Ich dacht es wohl. Aber wenn *ich* es nicht sein kann, so sei es das Kind. Ich lieb es, und *weil* ich es so liebe, mehr als mein Leben, will ich mich von ihm trennen und will's in andere Hände geben. In eure Hände. Es wird nicht gut' und glückliche Tage haben, ich weiß ja welche, aber wenn es nicht in Glück aufwächst, so wird es doch in Sitt und Ehren aufwachsen. Und das soll es. Und so ihr euch seiner schämt, so tut es zu guten Leuten in Pfleg und Zucht, daß es *ihr* Kind wird und mich vergißt und nichts an ihm bleibt von Sünd und Makel und von dem Flecken seiner Geburt. Erhöre mich, Gerdt; sage ja, und ihr sollt mich nicht wiedersehen. Ich will fort, weit fort, und mir eine Stelle suchen, zum Leben und zum Sterben. Tu's! Ach, Lieb und Haß haben mir die Sinne verwirrt, und vieles ist geschehen, das besser nicht geschehen wäre. Aber es ist nichts Böses an dieser meiner Hand. Hier lieg ich; ich habe mich vor dir niedergeworfen, nimm mich wieder auf! Hilf mir, und wenn nicht mir, so hilf dem Kind.«

Gerdt sah auf die kniende Frau, gleichgültig und mitleidslos, und sagte, während er den Kopf hin und her wiegte: »Ich mag ihm nicht Vater sein und nicht Vormund und Berater. Du hast es so gewollt, nun hab es. Es schickt sich gut, daß du's unterm Mantel trägst, denn ein Mantelkind ist es. Bei seinem *vollen* Namen will ich's nicht nennen.«

Und er ließ sie liegen und griff nach dem Aktenbündel, als ob er der Störung müde sei und wieder lesen wolle.

Grete war jetzt aufgesprungen, und ein Blick unendlichen Hasses schoß aus ihren Augen. Aber sie bezwang sich noch und sagte mit einer Stimme, die plötzlich tonlos und heiser geworden war: »Es ist gut so, Gerdt. Aber noch ein Wort. Du hast mich nicht erhören wollen in meiner Not, so höre mich denn in meinem Recht. Ich bin als eine Bittende gekommen, nicht als eine Bettlerin. Denn ich *bin* keine Bettlerin. Ich bin des reichen Jacob Minde Tochter. Und so will ich denn mein *Erbe.* Hörst du, Gerdt, mein Erbe.«

Gerdt faltete die Bogen des Aktenstücks zusammen, schlug damit in seine linke Hand und lachte: »Erbe! Woher Erbe, Grete? Was brachte deine Mutter ein? Kennst du das Lied vom Sperling und der Haselnuß? Erbe! Du hast keins. Du hast dein Kind, das ist alles. Versuch es bei den Zernitzens, sprich bei dem Alten vor. Der *Valtin* hat ein Erbe. Und Emrentz, denk ich, wird sich freuen, dich zu sehn.«

»Ist das dein letztes Wort?«

»Ja, Grete.«

»So gehab dich wohl, und dein Lohn sei wie dein Erbarmen.« Und damit wandte sie sich und schritt auf die Tür und den Flur zu. Als sie draußen an dem Fenster vorüberkam, sah sie noch einmal hinein, aber Gerdt, der abgewandt und in Gedanken dasaß, bemerkte nichts.

Er sah auch noch starr vor sich hin, als Trud eintrat und einen Doppelleuchter vor ihn auf den Tisch stellte. Denn es dunkelte schon. Sie waren kein plaudrig Ehepaar, und die stummen Abende waren in ihrem Hause zu Hause; heut aber stellte Trud allerlei Fragen, und Gerdt, dem es unbehaglich war, erzählte schließlich von dem, was die letzte Stunde gebracht hatte. Über alles ging er rasch hinweg; nur als er an das Wort »Erbe« kam, konnt er davon nicht los und wiederholte sich's zweimal, dreimal und zwang sich zu lachen.

Trud aber, als er so sprach, war an das Fenster getreten und klopfte mit ihren Nägeln an die Scheiben, wie sie zu tun pflegte, wenn sie zornig war. Endlich wandte sie sich wieder und sagte: »Und was glaubst du, was nun geschieht?«

»Was geschieht? Ich weiß es nicht.«

»Aber ich weiß es. Meinst du, daß diese Hexe sich an die Landstraße setzen und dir zuliebe sterben und verderben wird?! Oh, Gerdt, Gerdt, es kann nicht guttun. Ich hätt's gedurft, *vielleicht* gedurft, denn wir waren uns fremd und feind von Anfang an. Aber *du*! Du durftest es *nicht*. Ein Unheil gibt's! Und *du* selber hast es heraufbeschworen. Um guten Namens willen, sagst du? Geh; ich kenn dich besser. Aus Geiz und Habsucht und um Besitz und Goldes willen! Nichts weiter.«

Er sprang auf und wollte heftig antworten, denn so stumpf und gefügig er war, so zornmütig war er, wenn an seinem Besitz gerüttelt wurde. Trud aber, uneingeschüchtert, schnitt ihm das Wort ab und sagte: »Sprich nicht, Gerdt; ich lese dir das schlechte Gewissen von der Stirn herunter. Deine Mutter hat's eingebracht, ich weiß es. Aber als die Spansche, Gott sei's geklagt, in unser Haus kam, da hatte sich's verdoppelt, und aus eins war zwei geworden. Und so du's anders sagst, so lügst du. Sie *hat* ein Erbe. Sieh nicht so täppisch drein. Ich weiß es, und so sie's nicht empfängt, so wollen wir sehen, was von deinem und ihrem übrigbleibt. Lehre mich sie kennen. Ich hab ihr in die schwarzen Augen gesehen, öfter als du. Gezähmt, sagst du? Nie, nie.« Und sie zog ihren Knaben an sich, der, während sie sprach, ins Zimmer getreten war.

»Ihr sprecht von der Frau«, sagte das Kind. »Ich weiß. Sie hat mich bei der Hand nehmen wollen. Drüben. Aber ich habe mich vor ihr gefürchtet und von ihr losgerissen.«

## NEUNZEHNTES KAPITEL

### *Grete vor Peter Guntz*

Grete war allem Anscheine nach ruhig aus dem Haus getreten; aber in ihrem Herzen jagte sich's wie Sturm, und hundert Pläne schossen in ihr auf und schwanden wieder, alle von dem *einen* Verlangen eingegeben, ihrem Haß und ihrer Rache genugzutun. Und immer war es *Gerdt*, den sie vor Augen hatte, *nicht* Trud; und auf seinen Schultern stand ein rotes Männlein mit einem roten Hut und einer roten vielgezackten Fahne, das wollt er abschütteln; aber er konnt es nicht. Und sie lachte vor sich hin, ganz laut, und nur in ihrem Innern klang es leise: »Bin ich irr?«

Unter solchen Bildern und Vorstellungen war sie grad über den Rathausplatz hinaus, als sie plötzlich, wie von einem Lichtscheine geblendet, sich wieder umsah und der halben Mondesscheibe gewahr wurde, die still und friedlich, als regiere sie diese Stunde, über dem Giebelfelde des Rathauses stand. Und sie sah hinauf, und ihr war, als lege sich ihr eine Hand beruhigend auf das Herz. »Es soll mir ein Zeichen sein«, sagte sie. »Vor den *Rat* will ich es bringen; der soll mich aufrichten ... Nein, nicht aufrichten. Richten soll er. Ich will nicht Trost und Gnade von Menschenmund und Menschenhand, aber mein *Recht* will ich, mein Recht gegen *ihn*, der sich und seiner Seelen Seligkeit dem Teufel verschrieben hat. Denn der Geiz ist der Teufel.« Und sie wiederholte sich's und grüßte mit ihrer Hand zu der Mondesscheibe hinauf.

Dann aber wandte sie sich wieder und ging auf das Tor und die Vorstadt zu.

Draußen angekommen, setzte sie sich zu den Gästen und sprach mit ihnen und bat um etwas Milch. Als ihr diese gebracht worden, verabschiedete sie sich rasch und stieg in die Bodenkammer hinauf, darin ihr die Wirtin ein Bett und eine Wiege gestellt hatte. Und todmüde von den

Anstrengungen des Tags, warf sie sich nieder und schlief ein. Bis um Mitternacht, wo das Kind unruhig zu werden anfing. Sie hörte sein Wimmern und nahm es auf, und als sie's gestillt und wieder eingewiegt, öffnete sie das Fenster, das den Blick auf die Vorstadtsgärten und dahinter auf weite, weite Stoppelfelder hatte. Der Mond war unter, aber die Sterne glitzerten in beinah winterlicher Pracht, und sie sah hinauf in den goldenen Reigen und streckte beide Hände danach aus. »Gott, erbarme dich mein!« Und sie kniete nieder und küßte das Kind. Und ihren Kopf auf dem Kissen und ihre rechte Hand über die Wiege gelegt, so fand sie die Wirtin, als sie bei Tagesanbruch eintrat, um sie zu wecken.

Der Schlaf hatte sie gestärkt, und noch einmal fiel es wie Licht und Hoffnung in ihr umdunkeltes Gemüt, ja, ein frischer Mut kam ihr, an den sie selber nicht mehr geglaubt hatte. Jeder im Rate kannte sie ja, und der alte Peter Guntz war ihres Vaters Freund gewesen. Und Gerdt? der hatte keinen Anhang und keine Liebe. Das wußte sie von alten und neuen Zeiten her. Und sie nahm einen Imbiß und spielte mit dem Kind und plauderte mit der Wirtin, und auf Augenblicke war es, als vergäße sie, was sie hergeführt.

Aber nun schlug es elf von Sankt Stephan. Das war die Stunde, wo die Ratmannen zusammentraten, und sie brach auf und schritt rasch auf das Tor zu und wie gestern die Lange Straße hinauf.

Um das Rathaus her war ein Gedränge. Marktfrauen boten feil, und sie sah dem Treiben zu. Ach, wie lange war es, daß sie solchen Anblick nicht gehabt und sich seiner gefreut hatte! Und sie ging von Stand zu Stand und von Kram zu Kram, um das halbe Rathaus herum, bis sie zuletzt an die Rückwand kam, wo nur noch ein paar einzelne Scharren standen. In Höhe dieser war eine Steintafel in die Wand eingelassen, die sie früher an dieser Stelle nie bemerkt hatte. Und doch mußte sie schon alt sein, das ließ sich an dem graugrünen Moos und den altmodischen

Buchstaben erkennen. Aber sie waren noch deutlich zu lesen. Und sie las:

Hastu Gewalt, so richte recht,
Gott ist dein Herr und du sein Knecht;
Verlaß dich nicht auf dein' Gewalt,
Dein Leben ist hier bald gezahlt,
Wie du zuvor hast 'richtet mich,
Also wird Gott auch richten dich;
Hier hastu gerichtet nur kleine Zeit,
Dort wirstu gerichtet in Ewigkeit.

»Wie schön!« Und sie las es immer wieder, bis sie jedes Wort auswendig wußte. Dann aber ging sie rasch um die zweite Hälfte des Rathauses herum und stieg die Freitreppe hinauf, die, mit einer kleinen Biegung nach links, unmittelbar in den Sitzungssaal führte.

Es war derselbe Saal, in dem, zu Beginn unsrer Erzählung, die Puppenspieler gespielt und das verhängnisvolle Feuerwerk abgebrannt hatten. Aber statt der vielen Bänke stand jetzt nur ein einziger langer Tisch inmitten desselben, und um den Tisch her, über den eine herunterhängende grüne Decke gebreitet war, saßen Burgemeister und Rat. Zuoberst Peter Guntz, und zu beiden Seiten neben ihm: Caspar Helmreich, Joachim Lemm, Christoph Thone, Jürgen Lindstedt und drei, vier andre noch. Nur Ratsherr Zernitz hatte sich mit Krankheit entschuldigen lassen. An der andern Schmalseite des Tisches aber wiegte sich Gerdt auf seinem Stuhl, dasselbe Aktenbündel in Händen, in dem er gestern gelesen hatte.

Er verfärbte sich jetzt und senkte den Blick, als er seine Schwester eintreten sah, und aus allem war ersichtlich, daß er eine Begegnung an dieser Stelle nicht erwartet hatte. Grete sah es und trat an den Tisch und sagte: »Grüß Euch Gott, Peter Guntz. Ihr kennt mich nicht mehr; aber ich kenn Euch. Ich bin Grete Minde, Jacob Mindes einzige Tochter.«

Alle sahen betroffen auf, erst auf Grete, dann auf Gerdt,

und nur der alte Peter Guntz selbst, der so viel gesehen und erlebt hatte, daß ihn nichts mehr verwundersam bedünkte, zeigte keine Betroffenheit und sagte freundlich: »Ich kenn dich wohl. Armes Kind. Was bringst du, Grete? Was führt dich her?«

»Ich komm, um zu klagen wider meinen Bruder Gerdt, der mir mein Erbe weigert. Und dessen, denk ich, hat er kein Recht. Ich kam in diese Stadt, um wiedergutzumachen, was ich gefehlt, und wollte dienen und arbeiten und bitten und beten. Und das alles um dieses meines Kindes willen. Aber Gerdt Minde hat mich von seiner Schwelle gewiesen; er mißtraut mir; und vielleicht, daß er's darf. Denn ich weiß es wohl, was ich war und was ich bin. Aber wenn ich kein Recht hab an sein brüderlich Herz, so hab ich doch ein Recht an mein väterlich Gut. Und dazu, Peter Guntz und ihr andern Herren vom Rat, sollt ihr mir willfährig und behülflich sein.«

Peter Guntz, als Grete geendet, wandte sich an Gerdt und sagte: »Ihr habt die Klage gehört, Ratsherr Minde. Ist es, wie sie sagt? Oder was habt Ihr dagegen vorzubringen?«

»Es ist *nicht*, wie sie sagt«, erhob sich Gerdt von seinem Stuhl. »Ihre Mutter war einer armen Frauen Kind, ihr wisset all, wes Landes und Glaubens, und kam ohne Mitgift in unser Haus.«

»Ich weiß.«

»Ihr wißt es. Und doch soll ich sprechen, wo mir zu schweigen ziemlicher wär. Aber Euer Ansinnen lässet mir keine Wahl. Und so höret denn. Jacob Minde, mein Vater, so klug er war, so wenig umsichtig war er. Und so zeigte sich's von Jugend auf. Er hatte keine glückliche Hand in Geschäften und ging doch gern ins Große, wie die Lübischen tun und die Flandrischen. Aber das trug unser Haus nicht. Und als ihm zwei Schiffe scheiterten, da war er selbst am Scheitern. Und um diese Zeit war es, daß er meine Mutter heimführte, von Stendal her, Baldewin Rickharts einzige Tochter. Und mit *ihr* kam ein Vermögen in unser Haus …«

»Mit dem Euer Vater wirtschaftete.«

»Aber nicht zu Segen und Vorteil. Und ich habe mich mühen müssen und muß es noch, um alte Mißwirtschaft in neue Gutewirtschaft zu verkehren, und alles, was ich mein nenne bis diese Stunde, reicht nicht heran an das Eingebrachte von den Stendalschen Rickharts her.«

»Und dies sagt Ihr an Eides Statt, Ratsherr Minde!«

»Ja, Peter Guntz.«

»Dann, so sich nicht Widerspruch erhebt, weis ich dich ab mit deiner Klage. Das ist tangermündisch Recht. Aber eh ich dich, *Grete* Minde, die du zu Spruch und Beistand uns angerufen hast, aus diesem unserem Gericht entlasse, frag ich *dich, Gerdt* Minde, ob du dein Recht brauchen und behaupten oder nicht aus christlicher Barmherzigkeit von ihm ablassen willst. Denn *sie*, die hier vor dir steht, ist deines Vaters Kind und deine Schwester.«

»Meines Vaters Kind, Peter Guntz, aber *nicht* meine Schwester. Damit ist es nun vorbei. Sie fuhr hoch, als sie noch mit uns war; nun fährt sie niedrig und steht vor Euch und mir und birgt ihr Kind unterm Mantel. Fragt sie, wo sie's herhat. Am Wege hat sie's geboren. Und ich habe nichts gemein mit Weibern, die zwischen Heck und Graben ihr Feuer zünden und ihre Lagerstatt beziehn. Unglück? Wer's glaubt. Sie hat's *gewollt*. Kein falsch Erbarmen, liebe Herren. Wie wir uns betten, so liegen wir.«

Grete, während ihr Bruder sprach, hatte das Kind aus ihrem Mantel genommen und es fest an sich gepreßt. Jetzt hob sie's in die Höh, wie zum Zeichen, daß sie's nicht verheimlichen wolle. Und nun erst schritt sie dem Ausgange zu. Hier wandte sie sich noch einmal und sagte ruhig und mit tonloser Stimme:

»Verlaß dich nicht auf dein Gewalt,
Dein Leben ist hier bald gezahlt,
Wie du zuvor hast 'richtet mich,
Also wird Gott auch richten *dich* –«

und verneigte sich und ging.

Die Ratsherren, deren anfängliche Neugier und Teilnahme rasch hingeschwunden war, sahen ihr nach, einige hart und spöttisch, andere gleichgültig.

Nur Peter Guntz war in Sorg und Unruh über das Urtel, das er hatte sprechen müssen. »Ein unbillig Recht, ein totes Recht.« Und er hob die Sitzung auf und ging ohne Gruß und Verneigung an Gerdt Minde vorüber.

## Zwanzigstes Kapitel

*Hier hastu gerichtet nur kleine Zeit,*
*Dort wirstu gerichtet in Ewigkeit*

Grete war die Treppe langsam hinabgestiegen. Das Markttreiben unten dauerte noch fort, aber sie sah es nicht mehr; und als sie den Platz hinter sich hatte, richtete sie sich auf, wie von einem wirr-phantastischen Hoheitsgefühl ergriffen. Sie war keine Bettlerin mehr, auch keine Bittende; nein; ihr gehörte diese Stadt, *ihr*. Und so schritt sie die Straße hinunter auf das Tor zu.

Aber angesichts des Tores bog sie nach links hin in eine Scheunengasse und gleich dahinter in einen schmalen, grasüberwachsenen Weg ein, der, zwischen der Mauer und den Gärten hin, im Zirkel um die Stadt lief. Hier durfte sie sicher sein, niemandem zu begegnen, und als sie bei der Mindeschen Gartenpforte war, blieb sie stehen. Erinnerungen kamen ihr, Erinnerungen an *ihn*, der jetzt auf dem Klosterkirchhof schlief, und ihr schönes Menschenantlitz verklärte sich noch einmal unter flüchtiger Einkehr in alte Zeit und altes Glück. Aber dann schwand es wieder, und jener starr-unheimliche Zug war wieder da, der über die Trübungen ihrer Seele keinen Zweifel ließ. Es war ihr mehr auferlegt worden, als sie tragen konnte, und das Zeichen, von dem die Domina gesprochen, *heut* hätt es jeder gesehen. Und nun legte sie die Hand auf die rostige Klinke, drückte die Tür auf und zu und sah, ihren Vorstellungen nachhängend, auf die hohen Dächer und Giebel, die von drei Seiten her das gesamte Hof- und Gartenviereck dieses Stadtteils umstanden. Einer dieser Giebel war der Rathausgiebel, jetzt schwarz und glasig, und hinter dem Giebel stand ein dickes Gewölk. Zugleich fühlte sie, daß eine schwere, feuchte Luft zog; Windstöße fuhren dazwischen, und sie hörte, wie das Obst von den Bäumen fiel. Über die Stadt hin aber, von Sankt Stephan her, flogen die Dohlen, unruhig, als ob sie nach einem andren Platze suchten und ihn nicht finden könnten. Grete sah es alles. Und sie sog die feuchte Luft ein und ging weiter. Ihr war so frei.

Als sie das zweite Mal ihren Zirkelgang gemacht und wieder das Tor und seinen inneren Vorplatz erreicht hatte, verlangte sie's nach einer kurzen Rast. Eine von den Scheunen, die mit dem Vorplatz grenzte, dünkte ihr am bequemsten dazu. Das Dach war schadhaft und die Lehmfüllung an vielen Stellen aus dem Fachwerk herausgeschlagen. Und sie bückte sich und schlüpfte durch eines dieser Löcher in die Scheune hinein. Diese war nur halb angefüllt, zumeist mit Stroh und Werg, und wo der First eingedrückt war, hing die Dachung in langen Wiepen herunter. Sie setzte sich in den Werg, als wolle sie schlafen. Aber sie schlief nicht, von Zeit zu Zeit vielmehr erhob sie sich, um unter das offene Dach zu treten, wo der Himmel finster-wolkig und dann wieder in heller Tagesbläue hereinsah. Endlich aber blieb die Helle fort, und sie wußte nun, daß es wirklich Abend geworden. Und darauf hatte sie gewartet. Sie bückte sich und tappte nach ihrem Bündel, das sie beiseite gelegt, und als sie's gefunden und sich wieder aufgerichtet hatte, gab es in dem Dunkel einen blassen, bläulichen Schein, wie wenn sie einen langen Feuerfaden in ihrer Hand halte. Und nun ließ sie den Faden fallen und kroch, ohne sich umzusehen, aus der Fachwerköffnung wieder ins Freie hinaus.

Wohin? In die Stadt? Dazu war es noch zu früh, und so suchte sie nach einem schon vorher von ihr bemerkten, aus Ziegel und Feldstein aufgemauerten Treppenstück, das, von der Innenseite der Stadtmauer her, in einen alten, längst abgetragenen Festungsturm hinaufführte. Und jetzt hatte sie das Treppenstück gefunden. Es war schmal und bröcklig, und einige Stufen fehlten ganz; aber Grete, wie nachtwandelnd, stieg die sonderbare Leiter mit Leichtigkeit hinauf, setzte sich auf die losen Steine und lehnte sich an einen Berberitzenstrauch, der hier oben auf der Mauer aufgewachsen war. So saß sie und wartete; lange; aber es kam keine Ungeduld über sie. Endlich drängte sich ein schwarzer Qualm aus der Dachöffnung, und im nächsten Augenblicke lief es in roten Funken über den First hin, und alles Holz- und Sparrenwerk knisterte auf, als ob Reisig von den Flammen gefaßt worden wäre. Dazu wuchs der Wind, und wie aus einem zugigen Schlot heraus fuhren jetzt die brennenden Wergflocken in die Luft. Einige fielen seitwärts auf die Nachbarscheunen nieder, andre aber trieb der Nordwester vorwärts auf die Stadt, und eh eine Viertelstunde um war, schlug an zwanzig Stellen das Feuer auf, und von allen Kirchen her begann das Stürmen der Glocken. »Das ist Sankt Stephan«, jubelte Grete, und dazwischen, in wirrem Wechsel, summte sie Kinderlieder vor sich hin und rief in schrillem Ton und mit erhobener Hand in die Stadt hinein: »Verlaß dich nicht auf dein Gewalt.« Und dann folgte sie wieder den Glocken, nah und fern, und mühte sich, den Ton jeder einzelnen herauszuhören. Und wenn ihr Zweifel kamen, so stritt sie mit sich selbst und sprach zugunsten dieser und jener und wurde wie heftig in ihrem Streit. Endlich aber schwiegen alle, auch Sankt Stephan schwieg, und Grete, das Kind aufnehmend, das sie neben sich in das Mauergras gelegt hatte, sagte: »Nun ist es Zeit.« Und sicher, wie sie die Treppe hinaufgestiegen, stieg sie dieselbe wieder hinab und nahm ihren Weg, an den brennenden Scheunen entlang, auf die Hauptstraße zu.

Hunderte, von Furcht um Gut und Leben gequält, rannten an ihr vorüber, aber niemand achtete der Frau, und so kam sie bis an das Mindesche Haus und stellte sich demselben gegenüber, an eben die Stelle, wo sie gestern gestanden hatte.

Gerdt konnte nicht zu Hause sein, alles war dunkel; aber an einem der Fenster erkannte sie Trud und neben ihr den Knaben, der, auf einen Stuhl gestiegen, in gleicher Höhe mit seiner Mutter stand. Beide wie Schattenbilder und *allein*. Das war es, was sie wollte. Sie passierte ruhig den Damm, danach die Tür und den langen Flur und trat zuletzt in die Küche, darin sie jedes Winkelchen kannte. Hier nahm sie von dem Brett, auf dem wie früher die Zinn- und Messingleuchter standen, einen Blaker und fuhr damit in der Glutasche des Herdes umher. Und nun tropfte das Licht und brannte hell und groß, viel zu groß, als daß der Zugwind es wieder hätte löschen können. Und so ging sie den Flur zurück, bis vorn an die Tür, und öffnete rasch und wandte sich auf das Fenster zu, von dem aus Trud und ihr Kind nach wie vor auf die Straße hinausstarrten. Und jetzt stand sie zwischen beiden.

»Um Gottes Barmherzigkeit willen«, schrie Trud und sank bei dem Anblick der in vollem Irrsinn vor ihr Stehenden ohnmächtig in den Stuhl. Und dabei ließ sie den Knaben los, den sie bis dahin angst- und ahnungsvoll an ihrer Hand gehalten hatte.

»Komm«, sagte Grete, während sie das Licht auf die Fensterbrüstung stellte. Und sie riß den Knaben mit sich fort, über Flur und Hof hin und bis in den Garten hinein. Er schrie nicht mehr, er zitterte nur noch. Und nun warf sie die Gartentür wieder ins Schloß und eilte, den Knaben an ihrer Hand, ihr eigenes Kind unterm Mantel, an der Stadtmauer entlang auf Sankt Stephan zu. Hier, wie sie's erwartet, hatte das Stürmen längst aufgehört, Glöckner und Mesner waren fort, und unbehelligt und unaufgehalten stieg sie vom Unterbau des Turmes her in den Turm selbst hinauf: erst eine Wendeltreppe, danach ein Geflecht von Leitern, das hoch oben in den Glockenstuhl einmündete. Als die vordersten Sprossen kamen, wollte das Kind nicht weiter, aber sie zwang es und schob es vor sich her. Und nun war sie selber oben und zog die letzte Leiter nach. Um sie her hingen die großen Glocken und summten leise, wenn sie den Rand derselben berührte. Und nun trat sie rasch an die Schallöcher, die nach der Stadtseite hin lagen, und stieß die hölzernen Läden auf, die sofort vom Winde gefaßt und an die Wand gepreßt wurden. Ein Feuermeer unten die ganze Stadt; Vernichtung an allen Ecken und Enden, und dazwischen ein Rennen und Schreien, und dann wieder die Stille des Todes. Und jetzt fielen einige der vom Winde heraufgewirbelten Feuerflocken auf das Schindeldach ihr zu Häupten nieder, und sie sah, wie sich vom Platz aus aller Blicke nach der Höhe des Turmes und nach ihr selber richteten. Unter denen aber, die hinaufwiesen, war auch Gerdt. *Den* hatte sie mit ihrer ganzen Seele gesucht, und jetzt packte sie seinen Knaben und hob ihn auf das Lukengebälk, daß er frei dastand und im Widerscheine des Feuers von unten her in aller Deutlichkeit gesehen werden konnte. Und Gerdt sah ihn wirklich und brach in die Knie und schrie um Hülfe, und alles um ihn her vergaß der eigenen Not und drängte dem Portal der Kirche zu. Aber ehe noch die Vordersten es erreichen oder gar die Stufen der Wendeltreppe gewinnen konnten, stürzte die Schindeldecke prasselnd zusammen, und das Gebälk zerbrach, an dem die Glocken hingen, und alles ging niederwärts in die Tiefe.

Den Tag danach saßen Ilse Schulenburg und die Domina wieder an der Efeuwand ihres Hauses, und alles war wie sonst. Die Fenster standen auf, und das Feuer brannte drinnen im Kamin, und der Spitzkopf des großen Wolfshundes sah wieder wartend zu seiner Herrin auf. Von jenseit des Sees aber klang die Glocke, die zu Mittag läutete.

Um diese Stunde war es, daß ein Bote vom altmärkischen Landeshauptmann, Achaz von der Schulenburg, gemeldet wurde, der, ein Großoheim Ilsens, das Kloster zu schneller Hülfeleistung und zu Betätigung seiner frommen und freundnachbarlichen Gesinnungen auffordern ließ. Ilse ging dem Boten entgegen und gab ihm Antwort und Zusage. Dann kehrte sie zu der Domina zurück.

»Was war es?« fragte diese.

»Ein Bote vom Landeshauptmann.«

»Gute Nachricht?«

»Nein, böse. Tangermünde liegt in Asche.«

»Und Grete?«

»Mit unter den Trümmern.«

»Armes Kind ... Ist heute der dritte Tag ... Ich wußt es ...«

So ging ihr Gespräch.

Am Abend aber gaben die Puppenspieler den »Sündenfall«. Der Saal war gefüllt und der Beifall groß. Niemand achtete des Wechsels, der in Besetzung der Rollen stattgefunden hatte.

Zenobia spielte den Engel.

# Anhang

## *Der Stoff*

In seinen »Lebenserinnerungen« (1891) schreibt der Kunsthistoriker Wilhelm Lübke: »Im Herbst 1859 durfte ich meinen lieben Freund Theodor Fontane auf eine seiner ›Wanderungen durch die Mark‹ begleiten. Es wanderte sich mit ihm ganz prächtig. Wir waren beide gut zu Fuß, beide mitteilsam, und so wurde unsere Reise durch die Altmark mir höchst genußreich. Während er in den Kirchen den historischen Erinnerungen nachging, machte ich Jagd auf ihre kunstgeschichtlichen Denkmäler. Wir besuchten Havelberg, Werben, Arndsee, das an kirchlichen Monumenten reiche Salzwedel, Seehausen und das hochbedeutende Stendal, endlich Tangermünde und die herrliche, in edlem romanischen Stil erbaute Klosterkirche zu Jerichow.«

Die historischen Erinnerungen, denen Fontane in der Tangermünder St.-Stephans-Kirche nachgegangen sein mochte, fanden später in der Novelle »Grete Minde« ihren Niederschlag. Die gotische Kirche zeigte noch im 19. Jahrhundert deutliche Spuren der Vernichtung durch den Brand vom 13. September 1617, als dessen Urheberin Grete Minde galt. Seit 1618 wurde alljährlich am 13. September eine Gedächtnispredigt gehalten zur Erinnerung an die schreckliche Feuersbrunst, die nicht nur die gesamte Innenausstattung der St.-Stephans-Kirche zerstört, sondern auch den größten Teil der Stadt in Schutt und Asche gelegt hatte. Die ersten Darstellungen dieses für die Tangermünder Stadtgeschichte so bedeutsamen Ereignisses gaben Kaspar Helmreichs »Annales Tangermundenses« (2. Auflage, 1651) – Helmreich war 1619 Bürgermeister in Tangermünde gewesen und hatte Grete Minde zum Tode verurteilt – und Andreas Ritners »Altmärkisches Geschichtsbuch« (1651). Fontane hat außer diesen beiden Chroniken auch Sigmund Wilhelm Wohlbrücks »Geschichte der Altmark« (»ein unendlich fleißiges und unendlich langweiliges Buch«, an Wilhelm Holtze, 15. Mai 1878), die »detail- und anekdotenreiche« »Historische Beschreibung der Chur und Mark Brandenburg« (1751–1753) von Johann Christoph Bekmann (»in letzterem steckt eine Welt von Stoff«, an Paul Heyse, 25. Juni 1885) und die Schriften August Wilhelm Pohlmanns, »Geschichte der Stadt Tangermünde« (1829) und »Margaretha Minde oder Die Feuersbrunst zu Tangermünde am 13. September 1617. Ein Denkmal menschlicher Verworfenheit«, benutzt.

In all diesen historischen Darstellungen wird die Geschichte der Tangermünder Patriziertochter als »ein Denkmal menschlicher Verworfenheit« erzählt. Grete Minde galt als die Hauptschuldige an dem großen Brand. Das Motiv für ihre Tat war das starre Verhalten der Familie Minde, der die Tochter des mißratenen Peter Minde – er mußte eines Mordes wegen seine Heimatstadt verlassen und war zum Söldner und Landstreicher geworden – durch ihre Forderungen unbequem geworden war. Der Ratsherr Heinrich Minde, der Onkel Gretes, verweigerte ihr das väterliche Erbteil und wies alle ihre Ansprüche zurück. Grete überredete darauf ihren Mann und andere Landstreicher, so berichten die Chronisten, Tangermünde in Brand zu stecken. Auf der Folter bekannte sie ihre Tat; am 22. März 1619 wurde sie zusammen mit ihrem Mann, Tonnies Meilahn, und einem der angeblichen Kumpane, Merten Emmert, auf dem Scheiterhaufen verbrannt. Die Vorgeschichte der Brandstiftung, Grete Mindes Jugend, ihr Leben mit dem Söldner und Landstreicher Tonnies Meilahn unter »unsicheren Leuten«, wird in den Chroniken nur kurz erwähnt; die Schilderung des Brandes, der Verhöre und des Prozesses nimmt größeren Raum ein.

Otto Pniower hat in einem Aufsatz über »Grete Minde« (in: »Dichtung und Dichter«, Berlin 1912) nachgewiesen, welche Details (Namen der Ratsherren und der Nonnen, das Auftreten der Puppenspieler in Tangermünde u. a.) Fontane, ohne sich allzu ängstlich an die Chronologie der Ereignisse zu halten, den historischen Darstellungen entnommen hat. Im Grunde lieferten sie ihm nicht mehr als das Lokal- und Zeitkolorit zu seiner Erzählung, und der Untertitel »Nach einer altmärkischen Chronik« ist in diesem Sinne zu verstehen. Fontanes Interesse galt der »psychologischen Aufgabe« (an seine Frau, 11. August 1878). Er wollte darstellen, wie ein Patrizierkind zur Brandstifterin wurde. Die Grete Minde seiner Erzählung hat mit ihrem historischen Vorbild, der Landstreicherin, die wahrsagt, Zaubermittel verkauft und aus der Dummheit der Leute Kapital schlägt, nichts gemein.

Als Ludolf Parisius 1879, kurz nach Erscheinen der Novelle in »Nord und Süd«, den Dichter über seine historischen Untersuchungen unterrichtete (er wies anhand von Prozeßakten nach, daß das Eingeständnis der Brandstiftung nur durch die Folter erpreßt worden war, und veröffentlichte 1883 seine Ehrenrettung Grete Mindes in den »Bildern aus der Altmark«), schrieb Fontane an seine Frau: »In ›Grete-Minde‹-Angelegenheiten empfing ich einen sehr interessanten Brief von Stadtgerichtsrat Ludolf Parisius ...; er enthält ein freundliches Wort; *das* aber, um was es sich handelt, hat mit meiner Novelle nur mittelbar zu tun« (15. Juni 1879). Den Plan, der zweiten Auflage von »Grete Minde« (1887) ein Vorwort voranzustellen, das offenbar die Dichtung von der Historie abgrenzen sollte, gab Fontane schließlich auf. Seine Suche nach einer »interessanten Notiz« von Parisius über »Grete Minde« in der »Vossischen Zeitung« blieb erfolglos, und so bat er Wilhelm Hertz, »die gute ›Grete Minde‹ nun doch noch *ohne* Vorwort erscheinen zu lassen. Alle Bemühungen sind gescheitert, und sie durch weitre Wochen hin fortzusetzen, *so* viel ist die Geschichte nicht wert. ... Es aus eigner Kraft zu schreiben, was ich in besten Stunden auch könnte, dazu bin ich ganz außerstande, weil ich mich seit 4 Wochen an einem mühevollen Quitzow-Essay ganz nervenkrank gearbeitet habe« (9. August 1887).

## *Entstehung*

Mitte April 1878 hatte Fontane den vierten Band seines Romans »Vor dem Sturm« beendet; sofort nach Abschluß der Arbeit beschäftigten ihn neue Pläne. In einem Brief vom 6. Mai an Paul Lindau, den Herausgeber der Monatsschrift »Nord und Süd«, heißt es: »Ich habe vor, im Laufe des Sommers eine altmärkische Novelle zu schreiben. Ort: Salzwedel; Zeit 1660; Heldin: Grete Minde, Patrizierkind, das durch Habsucht, Vorurteil und Unbeugsamkeit von seiten ihrer Familie, mehr noch durch Trotz des eigenen Herzens, in einigermaßen großem Stil, sich und die halbe Stadt vernichtend, zugrunde geht. Ein Sitten- und Charakterbild aus der Zeit nach dem Dreißigjährigen Kriege. Würden Sie geneigt sein, diese Novelle zu bringen? auch dann noch, wenn die Länge derselben ein Servieren in *zwei* Nummern, was Sie nicht lieben, erheischen oder wenigstens wünschenswert machen sollte.« Lindau sagte zu. Die Verhandlungen mit Wilhelm Hertz über die Buchausgabe – Fontane leitete sie am 9. Mai, »nach eben empfangener Zusage« Lindaus, ein – hatten nicht den gleichen Erfolg. Der Vorschlag, Weihnachten 1879 einen Novellenband herauszubringen (»Grete Minde« und eine Novelle, die eventuell in der Zeitschrift »Daheim« vorabgedruckt werden sollte), fand bei Hertz keine rechte Gegenliebe. Er hielt es für besser, drei Novellen in einem Band zu vereinen, und Fontane antwortete ihm am 10. Mai 1878: »Drei Novellen sind besser als zwei, aber *eine* würde vielleicht noch wieder besser sein als drei. Ich hätte der für ›Nord und Süd‹ bestimmten (ein brillanter historischer Stoff) gern diese größere Ausdehnung gegeben; aber mit Rücksicht auf Lindau, der ein geschworener Feind von dem ›Fortsetzung folgt‹ ist, hab ich mich, gegen Gefühl und bessere Einsicht, zu Komprimierung entschlossen. Halten Sie, nach Ihren Erfahrungen, das Erscheinen eines solchen kleinen einbändigen Romans – denn ein solcher würd es werden – für etwas Glückliches, so sprech ich noch mit Lindau, der kein Übelnehmer ist, darüber, suche mir ein andres Blatt und gebe der Arbeit die ursprünglich von mir gewollte Gestalt.« Sicher hat Hertz auch diesen Plan abgelehnt, denn »Grete Minde« erschien in »Nord und Süd«, trotz der Feindschaft Lindaus gegen »Fortsetzung folgt« allerdings in zwei Teilen.

Es gibt keinen Hinweis Fontanes, wann er den Plan faßte, die Geschichte der Tangermünder Patriziertochter in einer Novelle zu gestalten. Offenbar gehörte der Grete-Minde-Stoff aber zu den frühesten Novellen-Projekten, denn am 11. Juni 1878 berichtet der Dichter seiner Frau erfreut von einem »mächtig anschwellenden« Paket, in dem die Novellenstoffe gesammelt werden, und nennt »Grete Minde« die »Novelle 1«.

Mit der eigentlichen Niederschrift der Novelle begann Fontane nach der Rückkehr aus Wernigerode. Am 11. August 1878 schreibt er an seine Frau: »Meine Novelle hab ich angefangen und sehe wenigstens, daß es geht. Bleibt mir Kraft und Gesundheit, so muß es etwas Gutes werden.« Zwei Tage später teilt er ihr mit: »Mit meiner Arbeit wollt es heute nicht recht gehn … Dennoch hoff ich, bis zu Deiner Rückkehr mit dem 1. Abschnitt im Brouillon fertig zu sein. Dieser 1. Abschnitt ist ungefähr ein Viertel des Ganzen.« Am 9. September ist der erste Entwurf abgeschlossen. Fontane schreibt am nächsten Tag an Clara Stockhausen: »Seit gestern abend hat nun Grete Minde, meine neue Heldin, Ruhe, ruht, selber Asche, unter der Asche der von ihr aus Haß und Liebe zerstörten Stadt.« Paul Lindau berichtet Fontane am 23. Oktober über den Stand der Arbeit: »›Grete Minde‹ lagert seit zwei Monaten, und noch in *dieser* Woche nehme ich die Überarbeitung auf. Das meiste ist so gut wie fertig, etwa ein Drittel aber *sehr* unfertig. Werd ich nicht krank – den üblichen Wintertribut, den man in der Regel mit der Torfrechnung zugleich zahlen muß, hab ich noch *nicht* gezahlt –, so denk ich Ihnen die Novelle spätestens Ende November schicken zu können. Ich würde mich freuen, das neue Kalenderjahr damit eröffnet zu sehen. Es ist ein brillanter Stoff; möcht ich ihm einigermaßen gerecht geworden sein.« Einen Monat später (am 24. November 1878) teilt er Lindau mit: »An der Novelle für ›Nord und Süd‹ korrigiere ich schon seit einer Woche; ich hoffe ganz bestimmt, sie Ihnen bis zum 15. *Dezember* schicken zu können. Ist das noch in time für die Januar-Nummer? Ich denke mir, ja, wenn Sie sicher sind, sie bis zu dem genannten Termin (15.) zu bekommen. Am 7. Dezember würd ich darüber eine *ganz* bestimmte Erklärung abgeben können. Eigentlich sollt ich wegen des großen Hallos, das ich wegen einer ganz gleichgültigen Sache mache, um Entschuldigung bitten, aber ich habe mich in die Vorstellung hineingelebt, am 1. Januar 79 mich in ›Nord und Süd‹ auftauchen zu sehn, und würde von dieser Vorstellung nur schmerzlich Abschied nehmen. ... Ich erwarte nur eine Zeile Nachricht, wenn es mit dem 15. *nicht* geht und ich also bis zum Februar warten muß.« Fontane mußte darauf verzichten, »am 1. Januar 79 sich in ›Nord und Süd‹ auftauchen zu sehn«. Die Arbeit an dem Katte-Aufsatz für »Westermanns Illustrierte Deutsche Monatshefte« unterbrach die Korrekturarbeit an »Grete Minde«, und erst am 26. Januar teilt Fontane Lindau mit: »Die Novelle, deren letzte Seiten meine Frau eben abschreibt, erhalten Sie in etwa 8 Tagen, da ich auch die Abschrift noch wieder überarbeiten und allem den letzten Schliff geben muß. Ich hab es gearbeitet wie seinerzeit Verse, als ich solche noch schrieb.« In einem Brief an Gustav Karpeles vom 5. Februar bekennt er: »Mich nimmt noch immer meine für ›Nord und Süd‹ bestimmte Novelle *total* in Anspruch. Auch die Korrektur der Abschrift, bei der ich jetzt bin, ist noch wieder eine wochenlange Arbeit. Ich bin nun mal ein Bastler und Pußler und kann es nun nicht mehr loswerden. Aber etwa am 15. bin ich wirklich fertig.« Offenbar hat Fontane diesen Termin wirklich eingehalten, denn er war sehr verstimmt darüber, daß nicht »Grete Minde«, sondern Wilhelm Riehls Erzählung »Das verlorene Paradies« im Aprilheft von »Nord und Süd« erschien. In einem bitter-ironischen Brief an die Redaktion (6. März 1879) hat er seinem Groll Ausdruck gegeben: »Es versteht sich von selbst, daß ich Riehl den Vortritt gönne. Schon aus Klugheit, um hinterher einigermaßen selber willkommen zu sein. Was sich von einer leisen Verstimmung mit einmischt, richtet sich nicht gegen den Verleger, noch weniger gegen den Herausgeber und ist nur eine stumme Klage über das Tatsächliche. Was ich in diesem Fall unter dem ›Tatsächlichen‹ verstehe, darüber schweig ich am besten. – Vielleicht können Sie nun das Ganze in die Mai-Nummer bringen; aber ich werfe das nur so hin und will nicht neue Verlegenheiten heraufbeschworen haben.«

Der Vorabdruck von »Grete Minde« erschien dann im Mai- und im Juni-Heft von »Nord und Süd«. Danach wandte sich Fontane erneut an Hertz, um die Verhandlungen über die Buchausgabe wiederaufzunehmen. Am 18. Juli 1879 schrieb er seinem Verleger aus Wernigerode: »Ich würde mich sehr freuen, wenn die Novelle – ähnlich etwa wie vor zwei, drei Jahren Storms ›Aquis submersus‹ – als ein hübsches kleines Weihnachtsbuch erscheinen könnte. Wie denken Sie darüber? Zu kurz für solche Separat-Publikation erscheint mir die Arbeit *nicht*, und ich würde nur dann die Lust dazu begraben resp. vertagen, wenn Sie mir schrieben: aussichtslos!« Hertz »vertagte« die Buchausgabe, und obwohl Fontane verärgert war, lehnte er das Anerbieten von Ludwig Pietsch ab, der sich um die Aufnahme »Grete Mindes« in die Paetelsche Miniaturbibliothek (in der 1877 Storms »Aquis submersus« erschienen war) bemühen wollte. »Es ist mit dem Verleger, den man hat, wie mit der Frau, die man hat – man muß sich eben mit ihnen einzurichten suchen. Ich kann wegen eines bloßen: ›es wäre mir lieb, wir warteten bis nächstes Jahr‹ nicht gleich die Zelte abbrechen. Außerdem weiß ich aus vieljähriger Erfahrung nachgerade nur zu gut, daß es Unsinn ist, von zuletzt doch nur kleinen Einzelheiten irgend etwas zu erwarten. Mit 59 hat man überhaupt gar nichts mehr zu erwarten als Rückzug« (an Pietsch, 13. September 1879).

Der Vertrag über die Buchausgabe wurde am 28. Juli 1880 abgeschlossen. Die Auflagenhöhe betrug 500 Exemplare, als Honorar erhielt Fontane ganze 300 Mark.

Mit dem Druck von »Grete Minde« wurde im August 1880

in der Weimarer Hofdruckerei begonnen. Der Dichter las in Wernigerode Korrektur. Am 12. August schrieb er an seine Frau: »Von Herrn Hertz empfing ich heut einen sehr liebenswürdigen Brief, zugleich aus Weimar den 1. Korrekturbogen von ›Grete Minde‹. Mir brummt der Kopf.« Am 20. September war die Auflage ausgedruckt, Anfang November erfolgte die Auslieferung.

Unserem Text liegt die erste Buchausgabe zugrunde.

*Anita Golz*

AtV

Band 5261 **Berliner Frauenromane**

## Theodor Fontane
## L'Adultera
**Novelle**

160 Seiten
7,90 DM
ISBN 3-7466-5261-8

»L'Adultera« (1882) ist Fontanes erster Berliner Frauenroman. Anknüpfend an einen vielberedeten Skandal in Kreisen der Hochfinanz, erzählt er die Ehe- und Ehebruchsgeschichte der liebenswerten jungen Bankiersgattin Melanie van der Straaten. Die Geschichte steht im Zeichen von Tintorettos Gemälde »L'Adultera« (Die Ehebrecherin), das zu Beginn ins Haus getragen wird und am Ende in veränderter Gestalt zu Melanie zurückkehrt. An das Bild knüpfen sich zahlreiche Anspielungen und Ahnungen, die auf die kommenden Erschütterungen hindeuten.

AtV

Band 5262 **Berliner Frauenromane**

# Theodor Fontane
# Cécile

Roman

208 Seiten
10,90 DM
ISBN 3-7466-5262-6

Cécile, die Frau des Obersten a. D. von St. Arnaud, genießt den Aufenthalt in dem Harzer Luftkurort Thale. Die Gäste des »Hotels Zehnpfund« huldigen ihrer Liebenswürdigkeit und Schönheit, allen voran der weltgewandte Ingenieur von Gordon-Leslie. Eine kleine Gesellschaft findet sich zusammen, die sich die Zeit mit reizvollen Wanderungen, vergnügten Tischrunden und geselligem Amüsement vertreibt. Nach vier idyllischen Sommertagen wechselt die Szenerie nach Berlin, in das vornehme Tiergartenviertel. Die Enthüllung von Céciles Vergangenheit als Fürstengeliebte führt zur Katastrophe, die das Leben dreier Menschen zerstört.

AtV

Band 5263 BERLINER FRAUENROMANE

## Theodor Fontane
## Irrungen, Wirrungen

Roman

189 Seiten
10,90 DM
ISBN 3-7466-5263-4

Bei einer Kahnfahrt haben sie sich kennengelernt, eine Landpartie nach »Hankels Ablage« ist fast schon das Ende ihres glücklichen Verhältnisses. Lene Nimptsch, das liebenswerte Mädchen aus der Berliner Vorstadtgärtnerei, und der Kaiser-Kürassier-Leutnant Botho von Rienäcker, erleben einen glücklichen Sommer voll Heiterkeit und gegenseitiger Zuneigung. Doch bald schon kommt es, wie es kommen muß. Botho heiratet standesgemäß, und Lene nimmt ihre Zuflucht zu einer Versorgungsehe. Beide fügen sich ohne dramatisches Aufbegehren und ohne tragische Zuspitzung den Gegebenheiten.

AtV

Band 5264 Berliner Frauenromane

# Theodor Fontane
# Stine

112 Seiten
7,90 DM
ISBN 3-7466-5264-2

In der Invalidenstraße 98e steigt wieder mal eine Fete. Der alte Graf und Lebemann hat sich bei der temperamentvollen jungen Witwe Pauline Pittelkow, seinem »Verhältnis«, zu einer vergnüglichen Sause angesagt und an diesem Abend seinen Neffen Waldemar mitgebracht. Während es auf berlinische Weise hoch hergeht, die Trinksprüche immer gewagter, die szenischen Einlagen einer urkomischen Vorstadttragödin immer ausgelassener werden, fühlt sich der junge Baron von Haldern von Stines stillem Wesen angezogen. Sie, die gegensätzliche Schwester Paulines, wirkt mit ihrer Natürlichkeit so stark auf den kränklichen Waldemar, daß dieser alle Kraft zusammennimmt und Stine einen Antrag macht. Seine Familie will er verlassen, die Heimat aufgeben und in Amerika eine unabhängige Existenz gründen.

AtV

Band 5265 Berliner Frauenromane

Theodor Fontane

Frau Jenny Treibel

219 Seiten

10,90 DM

ISBN 3-7466-5265-0

Die attraktive Fabrikantengattin liebt es, immer und überall im Mittelpunkt zu stehen. Um als kleine Person an der Tafel nicht übersehen zu werden, thront sie bei den häufigen Gastlichkeiten im Hause Treibel auf einem Luftkissen. Nicht minder aufgeblasen ist ihre Vorliebe für das Poetische und die gefühlvolle Sentenz. Der Kunst huldigt sie, indem sie den Tenor und Millionär Adolar Krola zu ihren Hausgästen zählt. Was aber zählt nun wirklich? Fontane nannte seinen Roman eine »humoristische Verhöhnung unserer Bourgeoisie mit ihrer Redensartlichkeit auf jedem Gebiet, besonders auf dem der Kunst und der Liebe, während sie doch nur einen Gott und ein Interesse kennen: das Goldene Kalb«.

AtV

Band 5266 BERLINER FRAUENROMANE

Theodor Fontane

Effi Briest

336 Seiten
12,90 DM
ISBN 3-7466-5266-9

Die siebzehnjährige Effi Briest heiratet den einundzwanzig Jahre älteren Baron von Innstetten. Zum Ministerialrat befördert, zieht er mit seiner jungen Frau und dem Kind nach Berlin. Nach sieben Jahren löst der Zufall ein Geschehen von zerstörerischer Unerbittlichkeit aus.
»Effi Briest« ist Fontanes berühmtester und populärster Roman, ein Meisterwerk von unvergänglicher Wirkung.

AtV

Band 5267 BERLINER FRAUENROMANE

# Theodor Fontane
# Mathilde Möhring

121 Seiten
7,90 DM
ISBN 3-7466-5267-7

Mathilde, eine ehrgeizige, aber reizlose junge Frau von dreiundzwanzig, will nur eins: die beschränkte Atmosphäre der elterlichen Wohnung hinter sich lassen und Karriere machen. In dem verbummelten Jurastudenten Hugo Großmann, der als »möblierter Herr« in die Georgenstraße 19 zieht, wittert sie mit untrüglichem Instinkt ihre Chance.
Sie bugsiert ihn durch das Referendarexamen, macht den vakanten Posten eines Kleinstadtbürgermeisters ausfindig und ist der gute Geist seiner Kommunalpolitik. Als er plötzlich stirbt, richtet sie ihren Ehrgeiz auf sich selbst.